liberté
Revue littéraire de création et de critique
Fondée en 1959 par Jean-Guy Pilon.

Conseil des Arts
du Canada

Canada

La revue *Liberté* reçoit des subventions du Conseil des arts et des lettres du Québec, du Conseil des Arts du Canada, du Conseil des arts de Montréal et du Patrimoine canadien.

Nous reconnaissons l'aide financière accordée par le gouvernement du Canada pour nos coûts d'envoi postal et nos coûts rédactionnels par l'entremise du Programme d'aide aux publications et du Fonds du Canada pour les magazines.

DISTRIBUTION AU CANADA
Diffusion Dimédia, 539, boul. Lebeau, Saint-Laurent (Qc) H4N 1S2
TÉLÉPHONE 514 336-3941 / TÉLÉCOPIEUR 514 331-3916

Envoi de publication, enregistrement n° 0348

DÉPÔT LÉGAL Bibliothèque nationale du Québec ; *Liberté* est répertoriée dans l'index de périodiques canadiens et dans REPÈRE ; ISSN 0024-2020 ; ISBN 978-2-923675-15-2. *Liberté* est disponible sur microfilms ; s'adresser à : University Microfilms International, 300 N. Zeeb Road, Ann Harbor, Michigan 48106 USA. *Liberté* est membre de la SODEP (www.sodep.qc.ca).

Imprimé au Canada

SOMMAIRE

Avril 2012 / nº 295 / Volume 53 / Numéro 3

LES RÉGIONS À NOS PORTES

PRÉSENTATION

La littérature québécoise a pris son envol avec *Au pied de la pente douce* et *Bonheur d'occasion*, c'est-à-dire en arrivant en ville. Les manuels scolaires, d'ailleurs, adorent nous le raconter. L'affirmation, un peu simpliste, a comme grand avantage de marquer la rupture avec le Canada français et ses écrivains empêtrés dans le sol et le sang. Par la belle grâce du paysage urbain, le Québec, Dieu merci, s'arrachait ainsi au folklore.

Une nouvelle génération d'auteurs s'aventure pourtant depuis peu dans ces territoires que l'on croyait délaissés depuis longtemps. Bien sûr, rien n'est jamais aussi marqué et, avant eux, il y a eu Jacques Ferron, Victor-Lévy Beaulieu, Pierre Yergeau et plusieurs autres. Il n'en demeure pas moins qu'avec *Arvida* de Samuel Archibald, *Nikolski* de Nicolas Dickner, *Townships* de William S. Messier ou *Atavismes* de Raymond Bock – pour ne nommer que ceux-là – quelque chose d'inédit se dessine. Ces auteurs, loin de nous assommer avec le terroir et la tradition, fouillent plutôt les entrailles de notre territoire. Ils nous révèlent du coup une présence au monde gavée de pertes et d'égarements.

Ce n'est pas une raison pour hurler à un « nouveau mouvement littéraire québécois », mais la force de ces textes nous a séduits. Nous avons eu envie d'aller y voir de plus près.

Bonne lecture.

Pierre Lefebvre

LES RÉGIONS À NOS PORTES

RAYMOND BOCK

MÉLANGE DE QUELQUES-UNS DE MES PRÉJUGÉS

Il est difficile d'être poète au bord de l'océan le plus septentrional.
HALLDÓR LAXNESS

Le plus souvent la poésie traduit soumission, défaite, veulerie, désarroi.
JACQUES FERRON

En revenant d'Islande cet été, après que j'ai regardé un film sur l'écran encastré dans l'appui-tête du siège d'en avant (un film islandais – j'ai résisté aux propositions plus distrayantes – qui racontait un voyage de pêche où rien ne pouvait fonctionner), l'excitation m'a gagné, on n'en revenait pas : en dessous, c'étaient les sommets de la calotte glaciaire du Groenland, le détroit de Davis, bien vite les fjords du Labrador, et puis que des lacs, des trouées de ciel dans la forêt, on aurait dit. C'était une vraie belle journée de la mi-juin, avec de rares nuages par-ci par-là : j'ai remercié mon père de m'avoir légué sa bonne vision.

Je ne suis pas le premier homme à être éberlué en voyant la planète d'en haut. Je me suis même trouvé décevant d'être à ce point comme tout le monde. De tels moments surhumains, à 900 kilomètres à l'heure et à 12 kilomètres d'altitude, nous renvoient à notre médiocre condition d'*homo sapiens* qui doivent marcher pour se déplacer. Je ne me souviens pas si j'ai pris le hublot en photo. Par contre, je me souviens d'avoir parlé du talent un peu ésotérique des cartographes de la Renaissance et de l'Ancien Régime, qui sont parvenus, du haut de leur 1 m 65 pour les plus grands, à dessiner précisément ce que l'écran de l'appui-tête me montrait désormais : le Nord-Est de l'Amérique avec le Québec en plein centre, que vous pouvez vous imaginer clairement sans qu'on ait à ajouter une illustration sur cette page.

Au-dessus de ce Québec, je me suis senti de retour chez moi, bien que la représentation du territoire qui m'apparaît toujours quand je pense à ce chez-moi et qui s'affichait précisément sur l'écran (avec le Nord en haut, bien sûr) ne correspondait pas du tout à ce que je voyais. On allait franc sud vers notre escale à Boston, je regardais vers l'est, j'étais le Gougou démesuré de Champlain enjambant la rivière France Prime, un pied sur la Côte-Nord et l'autre sur la Gaspésie. Très vite, la baie des Chaleurs est arrivée, je n'ai eu qu'à plisser un peu les yeux pour brouiller édifices et bateaux, et elle est redevenue telle qu'elle était quand Cartier s'y est engagé. Puis ç'a été fini. Une frontière pourtant invisible s'était creusée parmi les arbres et je n'étais plus chez moi. J'ai eu un lointain souvenir de l'Acadie, comme d'un grand feu jamais vu, mais dont je m'étais fait une image avec ce qu'on m'en avait raconté, puis j'ai eu la conviction que je n'en saurais jamais assez sur les États-Unis d'Amérique, c'est l'évidence, je n'en sais rien, et Boston est superbe quand on y atterrit en plein jour. La nuit aussi, probablement.

Je ne sais ce qui est à l'œuvre dans de tels sentiments. Il est difficile de ne pas se sentir écartelé jusqu'au déboîtement par des trames superposées qui tirent chacune dans leur direction. C'est un amalgame complexe de stéréotypes, de cartographie, d'histoire, de politique, de discours imagologique, d'idées qu'on se fait, qu'on s'est fait faire de soi-même, des autres, du paysage, des saisons, de tout, si bien qu'on se demande comment il se peut que le sentiment si évident d'un ici-chez-soi émane d'un équilibre si fragile. Après un mois à me sentir nulle part dans mon élément dans un pays fabuleusement exotique et fait sur mesure pour accommoder les touristes (l'Islande est une impressionnante somme d'étrangetés), j'ai eu beau me sentir chez moi quand j'ai survolé la Côte-Nord en avion, la vérité est que je n'y ai jamais mis les pieds, et que le jour où je les y mettrai, je ne serai jamais qu'un organisme exogène de passage.

Je crois avoir une assez bonne connaissance du Québec et de son histoire, mais je n'en ai rien vu ou presque : les trente dernières années, les Laurentides et l'Estrie certainement, la Gaspésie en 1991, le Saguenay pour quelques poèmes et son embouchure pour en revenir, un tout petit peu du Bas-du-Fleuve, la Capitale, d'où provient une ancienne blonde, et Montréal d'un bord à l'autre, avec comme rampe de lancement la ruelle à l'est de Bourbonnière, entre Rosemont et Dandurand. Ce que j'ignore du temps et du territoire est pourtant enfoui creux dans mon idée du Québec, dans ma *charge* du Québec, inconsciente, une sorte d'énergie potentielle qu'une simple expédition sur le terrain ne parviendrait pas à transformer en cinétique. Beaucoup de choses m'échappent, trop de variables compliquent cette équation, et, devant la perverse inexactitude de l'histoire, devant mon ami métissé d'Inuit et de Terrebonnien, devant un pic rocheux de Tadoussac ou un pont d'or au large de Kamouraska, je me rends compte que je suis un individu faible avant — bien avant — de faire partie d'une collectivité forte, et que je redoute les sources qui ont construit mon appartenance à ce morceau d'Amérique.

C'est affaire de convention. Si on m'appelle par mon nom, je me retournerai par réflexe, sans prendre le temps de me demander comment cette identité a pu faire son chemin si loin en moi, devenir aussi naturellement mienne que la main qui écrit ces mots dans un calepin. C'est une habitude, une décision prise par mes parents ; je l'ai incorporée avant même de pouvoir l'accepter. La loi a absorbé la chose elle aussi : jointes à mon nom, des séries de chiffres. Ça vaut pour mon nom d'individu. Ça vaut aussi pour ma nationalité. Il n'est pas illégitime de remettre en question ce qui se produit de soi, sans effort, inconsciemment. Pourquoi les redouter, alors, ces sources ? Il y a de quoi être prudent. On est maîtres dans l'art de détourner les rivières. Je me *sens* Québécois, je le suis sans aucun doute. C'est un problème étrange. Fernand Dumont peut bien identifier la genèse de ce sentiment dans les utopies médiévales, on ne l'est, Québécois, que depuis cinquante ans ; la Fête nationale n'est une fête civique — basée sur la citoyenneté et la territorialité, et non plus sur l'origine ethnique, comme l'ancienne Saint-Jean-Baptiste de Duvernay — que depuis trente-cinq ans, elle est à peine plus vieille que moi. Comment un nouveau nom peut-il atteindre une telle profondeur d'imprégnation en si peu de temps ? Ç'a été court. Ç'a été fulgurant. C'est encore fragile. Il est bien difficile de dire dans quelle durée ça s'inscrira. Je ne suis pas sociologue, ni historien, certainement pas politicien ; je ne suis qu'un littéraire, et c'est tant mieux, cela me dispense des lumières de la terminologie ou de la méthodologie disciplinaires pour me laisser les champs de l'ombre, du doute, du paradoxe, de l'inquiétude comme terrains de jeu. Ça fait pas mal d'espace où s'aventurer, vous en conviendrez, et c'est dans ces champs où l'on ne voit pas clair que l'on trébuche le plus souvent sur les vieilles souches pourries oubliées là par la charrue. Mes grands-parents étaient des Canadiens français, les leurs étaient Canadiens, je suis un Québécois, je ne peux pas prévoir ce que seront mes petits-enfants. Il y a une porosité, une liminalité fondamentale dans la vie francophone en Amérique.

Je sais peu de chose de l'Islande, encore moins de ce que serait se sentir Islandais. Je me démène avec mon propre nom, comment pourrais-je spéculer sur celui des autres autrement qu'en jonglant avec des clichés ? Je ne parviens pas à m'extraire de ce que je sais effectivement, la meilleure façon pour moi de penser l'Islande est, sans aucune objectivité, en comparant ce pays au Québec. Là surgissent toutes sortes de similitudes et de différences, plus ou moins grossières, à ne décliner dans le désordre que pour le plaisir. Par exemple, les deux pays n'ont pas la même forme. L'Islande est un nuage à hélice, ou une baudroie qui a un sérieux mal de tête. Le Québec, tout le monde est d'accord pour dire que c'est une main. Je trouve plutôt que c'est le profil d'un plagiocéphale dont la sinusectomie guérit mal et qui s'envoie une pilule d'Anticosti. L'Islande change de forme. La plaine du parlement historique, Þingvellir, à la jonction des plaques tectoniques eurasienne et américaine, s'enfonce tranquillement dans le sol, quelques centimètres par décennie, selon les mouvements sismiques. Un jour, la plaine sera engloutie dans le lac Þingvallavatn, et même l'Unesco n'y pourra rien. Les volcans n'ont pas fini de transformer la carte du pays. En 1964 commence une éruption sous-marine de six mois qui fait surgir une île de l'océan, Surtsey, qui s'ajoute à l'archipel des Vestmann. Seuls les oiseaux et les scientifiques ont le droit de la visiter. En 1973, l'Eldfell entre lui aussi en éruption. Un quartier de Heimaey est enseveli sous la lave, l'île gagne 2,3 km^2 de superficie. Le Québec n'est pas une île volcanique, mais il change de forme lui aussi. Et de noms. Non pas à cause des volcans, mais de la géopolitique nord-américaine. La Nouvelle-France a été un colosse fantomatique ; la *Province of Quebec* n'a d'abord été que le Saint-Laurent et ses rives avant d'être étendue jusqu'au détroit de

Davis au nord et à tout le bassin des Grands Lacs au sud ; la sécession des Américains a rogné la première moitié de ce bassin et l'apparition du Haut-Canada la deuxième ; le Bas-Canada a été uni au Haut, puis désuni et fédéré en tant que Québec ; le Labrador et le district d'Ungava vont et viennent et vont ; aujourd'hui encore les eaux territoriales du golfe sont troubles, la frontière labradorienne est contestée, les îles du Nord sont rattachées, qui au Québec, qui au Nunavut, en fonction des marées.

L'Islande, comme le Québec, est habitée par des fils de colons à leur tour colonisés. Si les Vikings ont pu s'installer et survivre en Islande (jusqu'à aujourd'hui) et au Groenland (jusqu'au moment où le petit âge glaciaire a eu raison d'eux), ils n'ont pu le faire en Amérique, malgré les promesses des vignes et du bois. On peut aussi comprendre qu'il leur a été difficile de s'accommoder des pierres plates, encore aujourd'hui les gens du pays ne savent pas trop quoi en faire, sinon les donner au kilo (la pesée est symbolique). Les détails précis de cette installation viking sont encore méconnus, peut-être demeureront-ils à jamais enfouis dans la mémoire minérale de ces pierres plates, mais j'aime rêver que les Autochtones ont offert suffisamment de résistance aux envahisseurs pour empêcher leur installation permanente. Ça n'a pas été le cas à la Renaissance, puisque les pêcheurs (parmi lesquels d'autres fils de Vikings, les Normands), qui salaient déjà depuis longtemps le poisson à Terre-Neuve et dans le golfe avant de l'embarquer pour l'Europe, les avaient suffisamment tentés avec leurs colifichets et leurs lames émoussées pour qu'ils laissent leur chance aux premiers planteurs de croix. Cartier et Roberval ont été expulsés, mais la pêche a continué dans le golfe, a même progressé dans le fleuve, les Iroquoiens du Saint-Laurent ont reflué vers les terres, et, soixante-dix ans plus tard, Champlain est arrivé avec ses lettres patentes. Entre deux dessins du territoire, il a appris qui tuer, à qui s'allier, et où planter la graine pour de bon. Les Vikings norvégiens n'ont eu à mater aucun Autochtone en Islande. Par contre, en manque de femmes, ils ont trouvé satisfaction parmi les Celtes, dont ils ont enlevé plusieurs représentantes pour en faire leurs esclaves.

L'Islande est de glace tout le temps et le Québec est de neige la moitié de l'année. Les Québécois, qui aiment se croire latins bien qu'ils mangent des *bacon and eggs* cinq fois par semaine, se plaignent de la noirceur en hiver. Pourtant, ils ne savent pas ce que c'est que la véritable noirceur. Le courant froid du Labrador fait descendre l'hiver loin dans le Sud, jusqu'ici, coin Saint-Hubert et Henri-Bourassa, et plus loin encore, disons jusqu'à Lacolle. Cette basse latitude donne de longues heures de grands soleils réfléchis par une masse nivale sans cesse renouvelée. Nulle part ailleurs dans le monde l'hiver n'est plus rigoureux qu'au Québec, entend-on souvent, et c'est une source soit de fierté, soit d'irrépressible fureur. Nulle part ailleurs il n'est plus lumineux. Ça, personne ne le souligne jamais. Les Islandais aiment se croire bipolaires : maniaques en juin, dépressifs en janvier. Le cercle polaire arctique frôle la pointe la plus nordique de l'île, quelques brasses au nord du petit village de Raufarhöfn. Au solstice d'hiver, c'est la nuit durant vingt-quatre heures. Bien que l'île soit beaucoup plus au nord que le Québec (dont le village le plus septentrional, Ivujivik, est encore loin du cercle polaire), il y fait moins froid l'hiver. Là-bas, c'est plutôt la noirceur qui gèle les veines, une perfusion de ténèbres, qui donne des polars stylistiquement faibles, mais d'une mécanique parfaite et d'un exotisme idéal pour la traduction et la diffusion internationale. Étrangement, quand il fait jour tout le temps, en juin, il fait encore trop froid pour camper sans tuque. Au Québec, l'été est sans aucun doute le plus accablant du globe et les Québécois errent dans les centres commerciaux, à la recherche d'air conditionné. Nos polars, stylistiquement faibles eux aussi, ont un honnête succès local.

Les fêtes du solstice d'été, en Islande, donnent lieu à un déversement (littéral) de joie : les foules de jeunes gens à l'avant-garde de la mode sont avalées puis vomies par les cafés et les bars, les rues se jonchent de bouts de verre brisé, ça danse tout un tour de cadran solaire et les festivals se succèdent, comme au Québec. La Saint-Jean n'y est pas une fête nationale, mais il y a beaucoup plus de moutons que d'habitants, quand ici ça s'équivaut. Sur l'autoroute, ces quadrupèdes surgissent n'importe quand devant votre voiture (la limite de vitesse a été établie à 90 km / h pour maintenir le cheptel), vous les voyez partout, couchés sur la plage, ou dans un clos, sautillant dans la prairie volcanique moussue, gambadant très loin en hauteur sur les pentes des montagnes basaltiques sillonnées par la route – on dirait des asticots sur des flancs de bestiaux affaissés. On remarque souvent des brebis égarées, reconnaissables à leur tache de peinture aérosol rouge, parmi d'autres marquées de peinture bleue. C'est que les clôtures de barbelés qui délimitent les propriétés ne sont pas très élevées, elles servent tout juste d'aide-mémoire, car, tous les cent mètres, un escabeau de bois enjambe les fils de fer. Hommes et bêtes ont droit de passage s'ils l'osent.

Il y a une quantité effrayante de francophones par mètre cube en Islande; des autobus entiers déversent des Français partout sur le territoire; les Québécois aussi font nombreux le voyage, et ils sont un peu plus téméraires. On en a croisé quelques-uns à vélo dans la bourrasque, campant malgré le point de congélation, et même sur l'inespérée plage de sable blanc de Breiðavík, où, à l'extrémité des fjords de l'Ouest, à des dizaines de kilomètres de tout village, se trouve un hôtel de jeunesse qui — on l'ignorait à ce moment-là — abritait dans les années 1950 une prison pour adolescents ayant selon toute vraisemblance emprunté ses méthodes aux orphelinats de Duplessis. On croyait y avoir trouvé la paix, jusqu'au moment où des jeunes en camionnette nous ont réveillés en faisant jouer, toutes fenêtres baissées, la grosse balade de la petite sœur des Cowboys Fringants. Quelque chose d'orgiaque dans le délire touristique islandais fait souvent regretter d'en être, comme si personne n'était là pour les bonnes raisons. Le rapport d'intimité qui s'établit entre un lieu et celui qui s'y trouve est-il possible quand quatre-vingt personnes se pressent dans l'étroit passage taillé dans la pierre qui mène aux plateaux d'où on peut regarder la chute d'or couler? Comment supporter ces quatre-vingt personnes qui ont à peine vingt minutes avant que la navette les emmène au cratère éteint, puis au geyser qui pète aux dix minutes, puis au lagon bleu, puis au lac à icebergs? Le pays est victime de sa beauté, et j'aime m'imaginer qu'un jour quelques Islandais radicaux vont se tanner et tenir des réunions de sous-sol pour bouter les touristes hors de l'île, comme les Autochtones ont bouté leurs ancêtres d'Amérique.

Tout cela est bien léger et ne vaut pas grand-chose, on peut tout comparer, pourquoi pas, ce n'est qu'un jeu. On pourrait devenir sérieux et comparer des choses plus importantes, quoique très drôles elles aussi, comme les œuvres de Halldór Laxness et de Jacques Ferron. Laxness est pratiquement inconnu au Québec, c'est malheureux, un artiste gigantesque, si gigantesque qu'on oscille devant son œuvre entre la fébrilité d'un enfant dans une pâtisserie et la terreur pure. Ferron et lui ont fait la même chose : revamper les traditions de leur culture respective au XXe siècle, les sagas pour l'un (mille ans de culture écrite), le conte pour l'autre (quelques centaines d'années de jasage de cuisine), à l'orée de tournants sociaux et politiques majeurs qu'ils ont peut-être influencés, avec la portée modeste que peut avoir la littérature dans la trame complexe du politique.

Elle n'est que cinquantenaire et non millénaire, et les mues de l'histoire se plairont à la transformer de nouveau, même à la renommer, n'empêche que l'identité québécoise est assise plutôt lourdement à notre époque — entre le nombre de chaises que vous voudrez —, assez pour que son exaltation n'ait plus aucun potentiel électoral, c'est dire la profondeur de sa décantation. Ce n'est pas une mauvaise chose pour les politiciens en vogue, il y a longtemps qu'ils grenouillent pour qu'on ne parle, avec gros bon sens, que des vraies affaires. Ce n'est certes pas une mauvaise chose pour la littérature non plus, laquelle, parce qu'elle met en jeu la fragilité du langage et l'imprévisibilité de son maniement, gagnera toujours à se tenir loin de l'autorité de l'idéologie.

Il y a peut-être aussi dans cette décantation de l'identité une des raisons pour lesquelles la littérature québécoise gagne aujourd'hui en force hors de la ville, pour lesquelles les écrivains se permettent de tremper leur plume dans le purin d'un terroir contemporain, comme on me l'a suggéré en m'invitant à participer à ce numéro. Selon les nationalistes d'arrière-garde, il n'y avait qu'une seule manière d'être Canadien français : dans la famille, la foi, et une sorte de ruralité de combat. Aussi étrange que cela puisse paraître, il était possible, selon ces messieurs, d'être Canadien français de manière identique de la Gaspésie à la Saskatchewan, et même de traîner ces manières jusque dans les brûlis de l'Abitibi et de l'Outaouais supérieur, qu'on ouvrait pour éviter les périls de l'émigration. Ils avaient bien raison de redouter la ville, ces messieurs, car, quand la modernité et la prospérité de l'après-guerre ont eu raison de cette ruralité et de la tradition qu'elle permettait d'entretenir, le pays avait rapetissé, et n'y vivaient plus des Canadiens français, mais des Québécois. C'est dans l'ancien terroir que se terrait l'ancien nom, il fallait veiller à ne pas s'en déprendre les pieds, au risque d'y laisser ses bottes de bœuf. Aujourd'hui, on en est revenus, de la modernité, et les nouveaux terroirs — devrais-je les appeler « nouvelles régions » ? —, l'atomisation des discours et l'individualité des écrivains les représentent en autant de régionalismes dans lesquels l'identité nationale n'est pas un enjeu, remplacées par l'histoire et la culture locales. On souhaitait jadis qu'il n'y ait qu'une façon d'être Canadien français ; il serait grotesque d'essayer d'identifier le nombre de façons d'être Québécois.

En tout cas, la mienne est parfaitement occidentale (j'ai vu une infinité de mes sosies en Islande) et se situe sur l'échelon « écume de basse classe moyenne ». Ou est-ce « apex de grasse pauvreté » ? Me semble qu'on est plusieurs, par chez nous, à s'y côtoyer. Mais peut-être n'est-ce que parce que je vis en ville. Au-dessus de cette ville, qu'on atteignait enfin après une escale de quelques heures à l'aéroport de Boston où on avait mangé comme tout le monde un steak et bu une bière brassée au *Sports Bar* même, je n'en revenais pas, c'était l'île en forme de pied, mon quartier d'enfance en Lego, la montagne d'où Cartier a vu les rapides de Lachine et les Montérégiennes, c'était une vue d'en haut de tout ce que je connais de l'intérieur : des rues, des bâtiments, des frontières. On avait mal aux oreilles. Je ne suis pas le premier homme en avion à m'imaginer un atterrissage raté, mais, dans cette angoisse si platement commune, je ne crois pas être allé jusqu'à me demander si j'aurais préféré une mort urbaine à Dorval ou une mort rurale à Mirabel. Maintenant que j'y pense, j'en préférerais une volcanique, dans la péninsule de Reykjanes, caché parmi les vapeurs s'échappant d'une plaine de pierres noires tranchantes et de touffes moussues que le nord de l'Atlantique Nord tente de gruger avec des lames d'argent sans y réussir.

SAMUEL ARCHIBALD

LE NÉOTERROIR ET MOI

Quel profit tire l'homme du labeur,
dont il se tourmente sous le soleil ?
Une génération passe, une génération vient, mais la terre
subsiste toujours.

L'Ecclésiaste, 1, 3-4

Still I am not from Barcelona,
I'm not even from Madrid.
I am a native of the North Pole,
And that can mess up any kid.

THE TALLEST MAN ON EARTH, *King of Spain*

Le néoterroir en question

C'est mon amie Alexie Morin qui a parti le bal, bien malgré elle, en parlant ironiquement de « post-terroir » sur son blogue l'année dernière. J'ai entendu « néoterroir » prononcé ailleurs, sur un ton mi-figue, mi-raisin. À tout prendre, je choisirais le deuxième terme, parce que je préfère les *revivals* aux enterrements. Dans tous les cas, il s'agit d'une tarte à la crème, d'une formule facile comme on aime parfois en pondre pour faire un raccourci critique. Il faut reconnaître au moins que l'étiquette, même floue, désigne un ensemble de phénomènes observables dans la littérature québécoise contemporaine, et qu'il doit être possible d'approcher sans ne dire que des imbécillités.

Le néoterroir en littérature s'inscrit pour moi au carrefour de trois tendances :

1 — Une *démontréalisation* marquée de la littérature québécoise, où, suivant la piste du mage fou de Trois-Pistoles ou de la dramaturgie de Michel Marc Bouchard, plusieurs ont pris le chemin du retour vers les régions et recommencé à habiter, ne serait-ce qu'en imagination[1], le lieu qui est pour eux celui des commencements ou d'un enracinement[2]. La littérature québécoise récente a réinvesti les régions. Je pense autant ici à la Gaspésie d'Éric Dupont qu'à la Mauricie de François Blais, aux Cantons-de-l'Est de Michèle Plomer, à l'Abitibi de Jocelyne Saucier, au Saguenay de Marie Christine Bernard, à la vallée de la Matapédia de Sébastien Chabot ou au Bas-Saint-Laurent de Nicolas Dickner.

2 — La revitalisation d'une certaine forme de *lyrisme tellurique* qu'on entendait comme un murmure dans les contes de Ferron, comme une valse lente mais assourdissante chez Anne Hébert (celle des *Fous de Bassan* autant que du *Tombeau des rois*), comme une gigue folle chez Réjean Ducharme et une danse macabre dans les premiers romans de Gaétan Soucy. Ce lyrisme tellurique dicte la manière autant que le propos de ceux qui sont, à mon sens, les deux grands précurseurs du néoterroir tel qu'il s'écrit aujourd'hui : Louis Hamelin et Pierre Yergeau. Deux écrivains visionnaires qui marquent un écart important entre la mouvance néotrad / folk en culture québécoise et le terroir revivifié en tant que « mouvement » littéraire : ce dernier, dans ses discours et procédés, m'apparaît profondément moderne, profondément actuel[3]. Le chant fou du territoire qu'on entend dans *La foi du braconnier* de Marc Séguin, *Atavismes* de Raymond Bock, *Nos échoueries* de Jean-François Caron ou *Était une bête* de Laurance Ouellet Tremblay, pour ne citer qu'eux, n'en est pas un de nostalgie.

1. Ici, je dis « ne serait-ce qu'en imagination » parce que, c'est un fait qu'il convient de noter et auquel il serait intéressant de réfléchir, de nombreux néoterroiriens sont, dans le civil, des Montréalais.
2. On pourrait parler aussi des visites ponctuelles. Côté poésie, l'appel des régions a fait l'objet du projet *Les petits villages* (Le lézard amoureux, 2007) où Jean-Éric Riopel, Élise Turcotte, Thierry Dimanche, Corinne Larochelle, André Roy et Bertrand Laverdure ont chacun investi un village du Québec pour en ramener un livre. Côté prose, Patrick Brisebois a aussi transposé ses pénates dans Charlevoix, le temps d'en ramener l'halluciné roman du terroir et d'anticipation *Catéchèse*.
3. Je ne dis pas que le néotrad / folk est invariablement réactionnaire, qu'on se comprenne bien, et je prendrais n'importe quand une bière avec Mara Tremblay, Chantal Archambault, Dany Placard, Adamus ou les gars d'Avec pas d'casque. Mais il s'est pondu ces dernières années plusieurs hymnes à la gloire de nos « arrière-grands-mères qui ont eu 312 enfants » qui m'ont fait positivement dégueuler.

3 — Un intérêt renouvelé pour l'oralité et la langue vernaculaire, en tant que réalité du parlé québécois qu'il convient ou non de faire paraître à l'écrit, mais aussi en tant que structure sous-jacente qui influence autant la couleur des dialogues que l'organisation du discours et la teneur même des récits. Ici, je penserais bien sûr à Michel Tremblay comme à une figure tutélaire, à son œuvre romanesque surtout, qui ne se contente pas de manifester l'oreille impeccable du maître pour la parlure du Plateau prégentrification, mais fait venir à elle un réalisme magique qui est à la fois le propre de ces gens-là et le génie particulier de cet écrivain-là. Aujourd'hui, on pense souvent au renouveau de la littérature orale initié par des conteurs comme Michel Faubert, Marc Laberge et André Lemelin, de même que leurs descendants Fred Pellerin, Renée Robitaille et Fabien Cloutier. Je pense pour ma part à William S. Messier, spécialiste de l'usage de la langue vernaculaire dans les lettres américaines et émule de Mark Twain, qui a fait entrer les *tall tales* par la grande porte dans la littérature québécoise avec *Townships* et *Épique*. Je pense aussi aux dialogues avec conteurs et musiciens traditionnels qui ont mené à la rédaction des *Bouteilles* de Sophie Bouchard, ou à la théâtralité à la fois beckettienne et joualisante des romans du grand Hervé Bouchard (*Mailloux*; *Parents et amis sont invités à y assister*).

Et moi dans tout ça?

J'imagine que, si je suis là, c'est que je me tiens moi aussi au carrefour de cette voie retrouvée du territoire, d'un lyrisme raboteux et d'une attention portée à l'espèce de folklore industriel que peut produire la cité ouvrière d'Arvida. Cas exemplaire et singulier, comme tout un chacun, je voudrais m'interroger ici en toute sincérité sur ce que signifie pour moi ce rapport réinitialisé à la terre.

Nadia et l'orignal

À la fin du mois de septembre, cette année, ma belle-mère Nadia, laissée seule au camp à cent kilomètres dans le bois par mon père qui travaillait en ville, préparait tranquillement une soupe aux gourganes quand elle a vu par la fenêtre un petit *buck* de trois ans marcher à découvert dans le chemin, entre la forêt et le lagon. En maîtrisant à grand-peine son excitation, elle a pris la 30.06 sur le divan, l'a chargée et a tiré l'orignal depuis le chalet, à travers la fenêtre ouverte, en perçant dans le moustiquaire un trou en feu d'un pied de large. L'animal a fait un pas avant de s'effondrer. Quand Nadia est sortie pour le saigner, elle s'est aperçue que la balle lui avait sectionné la carotide. Le sol était déjà tout imbibé du sang de la bête, qui faisait de grandes rigoles dans le chemin en descendant. Après, elle a appelé mon père sur le VE2 qui est monté à toute vitesse. Il a trouvé Nadia, couverte de sang, en train de débiter l'orignal avec les voisins appelés en renfort. Quand mon père m'a raconté l'histoire le lendemain, il m'a dit, avec un motton dans la voix : «Tu aurais dû voir comme elle était belle.»

Nadia a accepté cet extraordinaire coup de chance comme une offrande de la forêt, pour la consoler d'une année difficile durant laquelle elle a enterré sa mère. Chemin faisant, elle a pensé exactement comme pensent les Indiens, qui n'ont jamais vu dans la chasse un défi lancé à l'animal, mais plutôt une sorte de purge morale à travers laquelle on se rend digne de la proie à tuer. Pour eux, comme pour mes parents, un bon chasseur est d'abord et avant tout une bonne personne. Moi, je sais tout ça, et je crois comme eux. Les Ilnus pensent aussi qu'un orignal au bout de la mire qui a une larme au coin de l'œil est un animal qui n'est pas prêt à mourir et qu'il porte malheur de le tuer. Je sais que ces larmes sont provoquées par un genre de conjonctivite que les cervidés attrapent parfois avec les premiers froids d'octobre, mais je ne tirerai jamais sur un orignal qui pleure.

Je raconte tout ça surtout pour illustrer un fait très simple : chez moi, la fascination du terroir, qui est d'ailleurs moins une fascination pour le sol arable que pour la forêt à l'horizon, la terre battue du chemin et la neige qui les enterre six mois par année, est un attachement à une réalité vécue et non à un lieu *littéraire*. On a bien dû me faire lire, à un moment ou à un autre, *Angéline de Montbrun, Maria Chapdelaine* et *La Scouine;* je suppose aussi que je n'ai pas nommé innocemment «Menaud» un personnage de bûcheron dans *Arvida*. Je ferais cependant un mensonge bien confortable en disant que ce que je fais vient du terroir ou se pense essentiellement dans un dialogue avec cette littérature-là[4]. Ce que je fais vient, à l'inverse, de l'intuition que le terroir n'épuise pas le territoire, de la conviction acquise au fil du temps que je pouvais trouver à Arvida, sur les monts Valin et dans les villages environnants, un espace sur lequel tout n'avait pas été dit, sur lequel assez peu de choses étaient dites

4. Je ferais une autre sorte de mensonge, par omission, en n'avouant pas tout ce que mon *trip* prolo-forestier doit à Hemingway et Steinbeck qu'on lisait beaucoup à l'époque où ma mère faisait son cégep et qui étaient très présents dans la bibliothèque de mes parents, et ce que mon *lyrisme a-syntaxique* doit à Cormac McCarthy, découvert plus tard, et, dans une égale mesure, à Gilles Lapouge, dont l'exotisme célinien m'a énormément touché au milieu de la vingtaine.

aujourd'hui, et sur lequel ce que moi je pouvais dire m'appartiendrait en propre.

Un lieu sur lequel écrire.

À propos de « représentation »

On n'est pas obligé d'écrire sur les mêmes trois coins de rue ou les lieux de notre enfance pour être un écrivain authentique, évidemment, mais je suis sûr de ceci : on peut se réinventer cent fois par l'écriture, mais on n'écrit bien que pour se trouver, jamais pour se cacher.

Pour moi, enfant du Saguenay transposé par deux fois à l'autre bout du monde avec la honte de son accent pittoresque et de ses manières rustiques, une fois à Montréal, une autre fois en France, la route a été longue. Elle a consisté à arrêter de transcrire le pittoresque de mes chouenneux dans des mondes qui n'étaient pas le leur, à arrêter de gommer ma propre ascendance prolo-régionale dans des thèmes et un style neutres pour ne pas faire peur à d'hypothétiques lecteurs montréalais ou français, à arrêter de penser que je pouvais écrire l'Amérique, mon Amérique, dans la langue des traducteurs parisiens de Robertson Davies, Philip Roth ou John Irving.

« Écris sur ce que tu connais » est le conseil d'Hemingway que j'ai mis du temps à véritablement intérioriser et comprendre. Ce n'est sûrement pas une réalité qu'on s'attend à voir évoquée dans une réflexion sur le rapport d'un écrivain à la terre, mais j'ai grandi en écoutant beaucoup, beaucoup de hip-hop. Dans les hymnes très urbains de cette culture clanique, il est très mal vu de se faire passer pour quelqu'un d'autre ou de renier ses origines et très valorisé, *a contrario,* de célébrer son appartenance à un certain milieu, à une ville, un quartier et même une rue. On *représente* dans la culture hip-hop, comme l'affirment KRS-One, Fat Joe et Nas, le mot « représenter » s'enroulant ici de la trame serrée de ses nombreuses dénotations pour signifier à la fois « montrer », « dépeindre », « décrire » et « se tenir pour », « parler au nom de », « porter en soi ».

Comme le rappait Koma, sur *Nouveau Classik,* en 1999 : « Moi j'représente ma mère et tout l'parquet qu'elle a frotté. »

Quelque chose d'approchant, oui.

Comme dans le texte de cette chanson que j'ai écrite avec les gars d'Arvida Crew et qui est bien dans l'esprit du hip-hop d'antan :

> J'représente Arvida
> La ville de l'Aluminium.

J'représente Arvida
J'me tiens deboutte comme un homme.

[J'représente / J'représente]

J'représente
Les rides en skidoo pis la pêche au fanal
Les lacs, les rivières pis les aurores boréales.
J'représente
Une balle tirée dans le cou de l'orignal
(Tu peux pas comprendre si tu viens de Montréal.)

[J'représente / J'représente]

J'représente les djobbeurs, chus leur biographe
Je représente les bums, les coppeurses pis les gars de la gaffe.
J'représente
Les barmaids, les danseuses, les filles de party
Le B.A., le J.R. pis les bonnes soirées.

[J'représente / J'représente]

J'représente toutes les heures à l'usine
Que nos grands-pères ont travaillées.
J'représente mes grands-mères, leurs cousines
Pis toutes les femmes pognées pour torcher
(Pis que toi aussi tu devrais respecter).

J'représente
Ma mère, mon père, mon frère pis moi.
J'représente
Ta sœur, ta blonde, tes chums pis toi.
J'représente Arvida
J'représente le Saguenay.
J'représente Arvida
J'représente le monde entier.

Il est important, pour moi, de « représenter », comme il est important, au péril de ma *street cred,* de n'entretenir aucun mythe suivant lequel je serais un enfant de la balle ou, dans le cas qui nous occupe, un enfant sauvage. Je ne suis pas un Kaspar Hauser de la forêt boréale qui aurait appris miraculeusement à lire et à écrire au sortir de la puberté. Je suis un rat de bibliothèque qui a décidé un jour d'apprendre à tenir un marteau et à mettre un ver sur son hameçon. J'avoue ceci parce que rien ne m'horripilerait plus que de laisser l'impression que mon rapport au territoire vaut pour un enchaînement définitif de l'artiste au sol natal.

Écris sur ce que tu connais, certes, mais n'arrête jamais d'apprendre et ne renonce pas au voyage.

Pour la suite du monde...

L'influence québécoise qui a été la plus déterminante pour moi en dehors du domaine littéraire est celle de Pierre Perrault. Ce sont ses films qui m'ont inoculé cette obsession de transcrire la parole et de transmettre les savoirs techniques, deux motifs qui semblent intimement liés chez les gens que Perrault a choisi de filmer. J'oscille entre la beauté cruelle de *La bête lumineuse* (1982) et la célébration humaniste de *Pour la suite du monde* (1963), dans un mouvement de balancier entre deux propositions qui me semblent également vraies, mais qui se contredisent pourtant à un niveau fondamental, irréductible pour moi à une simple différence d'époque.

D'un côté, le verbe humilié du poète incapable de joindre sa voix à celles de chasseurs volubiles mais renfrognés, dépositaires d'un antique savoir cynégétique dont la transmission achoppe, peut-être parce qu'eux-mêmes lui préfèrent l'humiliation du plus faible et les pantalonnades d'ivrognes. De l'autre, la pêche au marsouin *relevée* à l'Île-aux-Coudres par des chouenneux de légende, en une fête du langage et de l'ingéniosité technique, pleine d'humanité mais nécessairement passéiste parce qu'elle peint devant nos yeux un monde qui n'existe plus et qui n'a jamais été véritablement le nôtre.

Ce qui me permet parfois de choisir *Pour la suite du monde* même si je connais mieux et sais plus vrai l'univers montré dans *La bête lumineuse,* c'est l'ouverture politique qui se déploie dans le premier contre le désenchantement postréférendaire du second. La pêche au marsouin de *Pour la suite du monde* n'est pas seulement documentée par les cinéastes Brault et Perrault, elle est recréée et réinventée à leur instigation. J'y vois les fondements d'une action politique du cinéaste ou de l'écrivain qui ne soit pas scansion monotone, sous les masques du dialogue ou de l'intrigue, de discours préétablis. *Pour la suite du monde* ne met pas en scène la restauration d'une pratique originelle et, à travers elle, d'un ordre ancien. Les Coudrilois ignorent qui de leurs propres ancêtres, des Amérindiens ou des Basques, a inventé la technique de la pêche au marsouin. Tout ce dont ils disposent, c'est un nombre suffisant de traces pour s'y remettre, au moyen d'un geste qui est à la fois une commémoration et une offrande à l'avenir, posé une dernière fois, justement, pour la suite du monde.

Aussi, s'il arrive que l'on m'accuse de nostalgie, crime très commun en littérature et dont je ne me défends pas, j'aimerais remarquer une chose : quand je parle d'un fauve mystérieux qui serait réapparu dans la forêt boréale ou ne l'aurait jamais quittée, quand je parle d'un peuple autochtone du Japon qui pense se protéger de la honte en oubliant son propre nom, quand je parle des moyens de protéger les bleuets du gel ou de circuler librement sur les routes, quand je parle de construire sa propre maison au milieu des fantômes ou d'un homme usé ayant gardé pour seul travail le fait d'annoncer aux autres qu'ils ont perdu le leur, quand je parle de la recherche désespérée par mon narrateur / alter ego d'une madeleine qui ne serait ni manufacturée ni frite, quand je parle de tout ça, donc, pour le meilleur et pour le pire, j'ai surtout l'impression de parler du futur.

... et contre la police

Politiquement, je raisonne comme un tambour. Ou presque. Je pense depuis longtemps que, si l'homme est un loup pour l'homme, l'égalité et la justice ont plus de chances d'advenir en ce monde si tout le monde devient un loup que si chacun reste un agneau. Toujours cru aussi, avec naïveté, en cette déclaration péremptoire rencontrée à l'adolescence dans un vieux roman de science-fiction :

> Un être humain devrait savoir changer une couche-culotte, planifier une invasion, égorger un cochon, manœuvrer un navire, dessiner les plans d'une bâtisse, écrire un sonnet, balancer ses comptes, monter un mur, réduire une fracture, consoler les mourants, prendre des ordres et donner des ordres, coopérer et agir seul, résoudre des équations, analyser un nouveau problème, répandre de l'engrais, programmer un ordinateur, cuisiner un bon repas, se battre efficacement et mourir courageusement. La spécialisation, c'est bon pour les insectes[5].

5. Robert A. Heinlein, *Time Enough for Love : The Lives of Lazarus Long*, New York, G. P. Putnam's Sons, 1973. Je traduis.

Je suis conscient qu'il y a dans cet individualisme des échos libertaires que je voudrais proches de Joseph Déjacque et lointains de la belle saloperie qu'on défend sous ce nom, depuis quelques années, de l'autre côté de la frontière. Je persisterai toujours dans une intuition, en définitive : à chaque fois qu'un individu reste à la place qui lui est attribuée en ce monde et s'en *contente rigoureusement,* ça fait bien l'affaire de quelqu'un d'autre. Je me sens donc beaucoup moins abruti depuis que mes étudiants ont commencé à me parler de Jacques Rancière (*Aux bords du politique*; *Le partage du sensible*) qui va dans le même sens, avec une complexité évidemment plus grande.

Pour Rancière, le politique se joue au confluent de deux processus : un processus gouvernemental, qu'il appelle la *police,* pas seulement « au sens de la répression, du contrôle social, mais de l'activité qui organise le rassemblement des êtres humains en communauté et qui ordonne la société en termes de fonctions, de places et de titres à occuper » ; un processus de partage et d'égalité, qu'il appelle l'*émancipation,* et qui consiste dans « le jeu des pratiques guidées par la présupposition de l'égalité de n'importe qui avec n'importe qui et par le souci de la vérifier[6] ». Évidemment, la police, dans sa portée hégémonique, préside non seulement à une distribution des rôles, mais à un partage particulier de ce qui se donne à faire, à voir, à dire et, carrément, à ressentir. Je vois la police autant comme une structure sociale que comme une voix intériorisée, qui murmure à l'oreille de chacun que ce livre n'est pas fait pour lui (ou plus insidieusement encore, que *lire* n'est pas fait pour lui), qu'un lieu lui est inaccessible, qu'une pensée lui est inexprimable, ou que ceux qui sont nés pour un petit pain ne devraient pas manger de foie gras. Je pense aussi que la police a une façon bien particulière de travailler les écrivains et les intellectuels : en leur donnant l'impression qu'ils sont à l'abri de la police parce qu'ils ont lu tout Jacques Rancière.

Je n'écris pas sur le sang bouillant des hommes et des bêtes qui coule dans la terre ou sur la neige parce que je suis né sur les monts Valin, entre un orignal et un ours, avec un .12 dans les mains. J'écris sur tout ça parce que je suis un *nerd* à lunettes, né de parents commerçants mais d'extraction ouvrière et que « par malheur, [je crois] que les petites gens sont plus réels que les autres[7] ». Je crois aussi

6. Jacques Rancière, « La politique n'est-elle que de la police ? », entretien réalisé par Jean-Paul Monferran, *L'Humanité,* 1er juin 1999. Disponible sur : http ://www.humanite.fr/node/382575 (consulté le 20 décembre 2011).

7. Je reprends ici la citation d'André Suarès que Pierre Michon a placée en exergue des *Vies minuscules.* Un livre superbe qui m'a à la fois bouleversé et agacé, surtout à cause de cette

qu'en parlant du métier des gens, de leurs loisirs secrets, des moyens qu'ils mettent en œuvre pour construire un bâtiment ou attraper des bêtes, on parle d'une chose qui n'a pas été souvent littérature, mais qui, surtout, n'est ni variété ni téléréalité.

> Le réel existe. Malgré tout ce que l'on dira de la déréalisation du monde, de la puissance des médias, du poids écrasant de la culture de masse, du déluge d'images mensongères auquel nous sommes quotidiennement soumis, de la cacophonie ininterrompue qui nous accompagne et rend l'acte de pensée de plus en plus difficile et précaire, le réel existe. Il continue d'exister malgré tout.

C'est ce qu'écrit Bernard Émond dans son récent *Il y a trop d'images* (Lux, 2011). Mon néoterroir n'est pas la réalité, bien sûr, mais il vaut pour moi comme un raccourci vers la vie elle-même, aux abords duquel les gens ne sont peut-être pas plus *réels* que ceux qu'on voit s'inventer à la surface de nos écrans quotidiens, mais assurément moins *faux*.

J'ai travaillé dans une *shop* de mes quinze ans à mes dix-neuf ans. Avant, je ne savais rien faire de mes dix doigts, à part taper sur un clavier, tenir un livre ouvert et allumer la télé. J'ai acquis là-bas une certitude en germe, qui est moins une posture politique à part entière que ma morale d'écrivain et d'enseignant : je n'ai pas le droit de demander aux gens de s'intéresser à ce que j'écris ou d'écouter ce que j'ai à leur dire si je ne les écoute pas moi-même et si je ne m'intéresse pas du tout à la fabrication du nœud Rapala, au bon assemblage du tré-carré ou aux sensibilités particulières des différentiels. Essayer de parler sérieusement des gens qui habitent les petites villes, les campagnes et les forêts du Québec, essayer de trouver sans embellir ni mentir une façon de parler d'eux qu'ils aient envie d'entendre, essayer de ne pas me contenter moi-même d'être un manchot bibliophile et myope, c'est ma façon à moi d'emmerder la police.

Une façon bien modeste, j'en conviens. Et qui n'est pas encore au point. Je suis bien loin encore du cahier de charge dressé plus haut par Robert Heinlein. Je suis un drôle d'animal, capable de manœuvrer des bateaux et de nettoyer des armes à feu, mais pas de conduire une auto. Je suis un excellent pêcheur maintenant, et j'ai un assez

idée de petitesse qui le traverse et qui m'apparaît discutable, dans la mesure où j'écris sur le même genre de personnages et qu'ils me font tous l'impression d'être absolument plus grands que nature.

bon fusil. Je tiens plus de l'apprenti que du *foreman* sur un chantier, mais j'écoute toujours ce que racontent les bonnes femmes et leurs bonshommes, et, devant tout ouvrage en cours, j'essaye d'apprendre, j'essaye d'aider.

Je m'intéresse probablement moins au terroir ou au territoire, en définitive, qu'aux gens qui habitent dessus. Ce que ça m'a apporté jusqu'ici, au-delà des thèmes agricoles et sylvestres, c'est une façon de considérer l'écriture comme une activité manuelle, de travailler le texte moins comme on travaille la terre que comme on travaille le bois. Je ne sais pas trop ce que je sème et j'ignore complètement ce que j'en récolterai. Mais je coupe, je varlope, j'emboufte, je raboute, je mets des *shims*, je *prye*, je cloue, je gosse, je gosse encore pis je lâche juste quand je suis sûr que ça va tenir debout tout seul.

Après ça, tu peux bien parler de ce que tu veux, mais ça reste une bonne façon de travailler.

LES RÉGIONS À NOS PORTES

WILLIAM S. MESSIER

LES SENTIERS BATTUS

Quelques notes sur le coureur des bois

You are a runner
And I am my father's son
WOLF PARADE

1.

Nous sommes le 4 février 2010. Je rencontre Bock devant son appartement à 18 h 15 précisément. Il s'étire la jambe droite en ramenant son genou contre sa poitrine avec ses mains, mais, après avoir constaté que je ne m'arrête pas et que je compte entamer illico le parcours parce qu'on ne niaise pas — c'est par en avant que ça s'en va —, il acquiesce subtilement en inclinant un peu la tête et part comme une balle de winchester.

— Salut, mon homme, lui dis-je, alors qu'on approche déjà de l'intersection d'Henri-Bourassa et de Saint-Hubert. Qu'est-ce qui se passe de bon?

Ça fait moins de trente secondes que nous courons et je vois déjà du frimas sur mon foulard, qui est plutôt un triangle de laine synthétique — une sorte de bandeau de hors-la-loi western en polar acheté chez MEC. Bock a la barbe assez longue pour que le froid tarde à se rendre à sa peau. La mienne est fraîchement rasée, maudit. Dans peu de temps, la sueur, la morve et la condensation de mon souffle me feront une moustache de gelée glaciale et j'aurai beau l'essuyer, il ne lui faudra que quelques dizaines de secondes pour se régénérer.

– Pas grand-chose, on essaie d'avancer ça.

« Ça », c'est le recueil de nouvelles sur lequel il travaille, plutôt que de plancher sur un mémoire de maîtrise autour du doute en création littéraire. Nous brûlons notre lumière rouge pour éviter de nous arrêter et devoir sautiller comme des guerriers Massaï frigorifiés.

Depuis que j'ai lu *Atavismes,* qui est apparu sur les tablettes environ un an après cette course, je ne vois plus mon ami Raymond Bock de la même façon. Il est passé de l'homme normal qui en arrache, comme tout le monde, qui se retrouve à la fin de la vingtaine avec à peu près tout ce que les gens de la vingtaine traînent en eux, à une sorte de bête littéraire mystérieuse. Pour le dire simplement, je le considère désormais comme un coureur des bois.

De mon côté, c'est *Épique,* mon premier roman, que j'essaie de terminer au moment de notre rencontre. Si Bock a l'air de bien progresser dans l'écriture, c'est tout autre chose pour moi : depuis quelque temps, je tourne en rond. Nos discussions m'aident beaucoup à trouver mes repères. Le jogging nous unit d'autant plus qu'il nous force à mettre nos voix au diapason. Nous fonçons dans l'obscurité froide à pas rythmés.

2.

Il ne fait aucun doute que plusieurs monuments de l'histoire du continent américain – là où, selon la formule de Ralph Waldo Emerson, « *the young men were born with knives in their brain*[1] » – se sont construits à coups de haches, de crosses d'armes à feu et de couteaux. Pionniers, trappeurs, coureurs des bois et autres gueux condamnés à vivre en cette terre hostile ont dû user de débrouillardise, de cran et de stratégie pour survivre aux réalités d'un territoire qu'ils n'avaient pas nécessairement choisi. Pourtant, contrairement à l'imaginaire violent associé à la conquête du territoire américain de nos voisins du Sud, les racines aventurières et violentes de notre pays semblent avoir longtemps été remplacées par des récits de survivance communautaire et de triomphe de la civilisation sur la nature.

1. Ralph Waldo Emerson cité dans David Leverenz, « *The Politics of Emerson's Man-Making Words* », *PMLA,* vol. 101, nº 1, janvier 1986, p. 38.

L'aventurier, ce nihiliste insubordonné et individualiste[2], n'a ressurgi dans l'identité québécoise qu'après la Deuxième Guerre mondiale, avec l'essor des idées progressistes et universalistes qui ont mené à la Révolution tranquille.

Le coureur des bois, selon Louise Vigneault, s'enfonce dans le continent pour s'affranchir de l'autorité sous toutes ses formes. Il rompt avec la société en éclosion pour trouver une forme d'autodétermination dans la nature. Tiraillé entre le mouvement et l'enracinement, le coureur des bois cristallise bien l'esprit d'un temps où chaque nouvelle génération est appelée à repousser la frontière. Le Nouveau Monde est à la fois un territoire à occuper et un lieu où les possibilités de se renouveler ou de s'épanouir ailleurs semblent infinies. Le paradoxe du coureur des bois veut qu'il oscille constamment entre ces deux pôles.

Dans la nouvelle « L'autre monde », Bock donne la parole à un coureur des bois à l'agonie, attendant la noirceur et le départ des guerriers Tsonnontouans qui viennent de massacrer ses acolytes. Marqué d'une violence à glacer le sang, le texte montre bien le statut de ces exclus et solitaires que sont les coureurs des bois dans la colonie : « Les années ont passé, les forts ont poussé et, quand le père Dupas s'est finalement fait trancher la jugulaire par un Neutre qui voulait venger son fils mort dans sa morve deux heures après son baptême, on était déjà loin dans la forêt infinie, coureurs des bois depuis des lustres, pour toujours qu'on s'était dit. » (p. 28) Quelque chose dans ce vœu d'exil me rappelle les innombrables *rambling men* qui sillonnent le territoire nord-américain depuis Étienne Brûlé jusqu'à William T. Vollmann. Les aventuriers d'*Atavismes* sont désengagés, les affaires du fort arrivent à eux comme de lointains échos dans la forêt infinie. Pour les colons, le choc entre la nature et la civilisation ne peut qu'être violent, et le coureur des bois de Bock montre bien que ceux qui s'en sortent doivent effectivement être nés avec quelques couteaux dans la cervelle.

L'échec de cette troupe d'aventuriers décimée, comme les frasques des voyous débiles de la nouvelle « Carcajou » qui le précède, crée au début du recueil un traumatisme qu'on arrive mal à surmonter. Violence et nihilisme, voilà peut-être les fameux atavismes

2. Louise Vigneault, « Le pionnier : acteur de la frontière » dans Gérard Bouchard et Bernard Andrès (dir.), *Mythes et sociétés des Amériques*, Québec Amérique, Montréal, 2007, p. 298.

que l'auteur semble vouloir rappeler. Au cœur de notre histoire s'élève cette figure controversée du coureur des bois qui ouvre les sentiers aux colons et qui connaît bien le péril qui les y attend.

3.

Dans *19 couteaux,* Mark Anthony Jarman survole l'imaginaire canadien et nord-américain en y faisant ressortir çà et là les déchets inusités du patrimoine. On trouve dans le recueil de l'auteur canadien le même télescopage de l'intime et du national, de l'immédiat et de l'historique, que dans celui de Bock. Or, un des moments forts du recueil présente le récit frénétique d'un fossoyeur employé par l'armée du général Custer, dont le régiment se fait massacrer par une coalition de tribus amérindiennes lors de la célèbre bataille de Little Big Horn en 1876. Dans un rythme effréné, le filou canadien que les Orangistes auraient chassé de Fort Garry, comptoir de la Compagnie de la baie d'Hudson, décrit son parcours rocambolesque à travers les États-Unis avec Calamity Jane, jusqu'aux bataillons du général Custer dans les Black Hills.

«Creuse des tombes ou crève[3]», dit le narrateur de Jarman. Pour attester la violence de l'Ouest, Mark Twain écrivait dans les années 1870 que les vingt-six premières tombes du tout premier cimetière de l'État de la Virginie appartiennent à des hommes qu'on aurait assassinés[4]. Visiblement, un fossoyeur n'y manquait pas d'ouvrage.

4.

Bien qu'il n'y ait qu'une seule histoire comportant de véritables coureurs des bois dans *Atavismes,* j'aime l'idée d'élargir cette figure à l'ensemble des protagonistes du recueil. Plusieurs incarnent au moins une facette du mythe, c'est-à-dire l'immersion comme technique d'adaptation à son milieu. Les coureurs des bois de Bock, en effet, auront beau se promettre mutuellement qu'ils resteront toujours solidaires, la forêt infinie les isole toujours plus. Et ils se retrouvent presque toujours seuls pour braver les périls de la nature.

En ce sens, la stratégie principale du coureur des bois consiste à être en parfaite symbiose avec son environnement. C'est un homme solitaire qui, pour survivre à la sauvagerie, doit «[s]'intégrer au décor comme un lièvre, [...] devenir un rocher, ne pas respirer plus

3. Mark Anthony Jarman, *19 couteaux*, traduit de l'anglais par Lori Saint-Martin et Paul Gagné, Montréal, Les Allusifs, 2009, p. 87.
4. Mark Twain, *Roughing It,* New York, Pocket Books, 2003, p. 260.

fort que ne le ferait le vent et souffrir en silence, comme les arbres qu'on perce de nos projectiles». (p. 35) Au-delà de la morosité qu'ils semblent partager, ce qui lie les protagonistes, c'est la nécessité de faire corps avec leur environnement, et, la plupart du temps, l'échec de leur tentative.

5.

Bock fait de la rencontre entre la nature et la civilisation un combat déterminant pour l'identité québécoise. Dans les faits, il en résulte que la nation ne connaît aucun ancrage dans le territoire et est affaire de langage, de politique. Bock s'en prend principalement à la quête identitaire de l'homme, qui finit par lui aliéner son propre territoire. En d'autres mots, à trop vouloir maîtriser l'environnement autour de lui, dans l'optique de se bâtir un pays digne de ce nom, l'homme courrait à sa perte.

6.

La biographie de Thomas Fortin, que l'auteur Damase Potvin désigne comme «le dernier de nos coureurs de bois[5]», relate une quantité de drames survenus en forêt dans la première moitié du siècle dernier. En 1940, un trappeur découvre dans une cabane du Labrador les cadavres de trois hommes, morts après onze semaines sans nourriture. En 1933, un chasseur métis trouve un adolescent à moitié inanimé, n'ayant survécu qu'en se nourrissant des restes de son frère aîné, mort d'épuisement et de faim. En guise d'explication pour ces malheurs, Potvin rapporte ensuite les propos de Thomas Fortin, voulant que la survie en forêt dépende d'une connaissance accrue des cycles du gibier selon le territoire et la saison. Contrairement à ce qu'on pourrait penser, il ne suffit pas de savoir chasser, pêcher et se bâtir un abri pour se débrouiller en forêt. Pour y survivre, la nature exige qu'on la connaisse dans ses plus infimes secrets.

7.

La plupart des histoires de Bock s'ouvrent ou se terminent sur la figure de l'homme englouti par son environnement. «Dauphin», récit de confession amoureuse et de malaise existentiel, se clôt sur l'image du narrateur enseveli dans son appartement, durant une tempête de neige.

5. Damase Potvin, *Thomas : Le dernier de nos coureurs de bois*, Québec, Garneau, 1945, 272 p.

« En plus de votre lecture de la semaine, allez toucher à un arbre, sentez bien l'écorce sous la paume, ramassez une poignée de gravier près de ses racines. Prenez-en une bouchée. » (p. 138) Voilà ce que François, le protagoniste du « Pont », aurait aimé dire à ses étudiants. Ne faire qu'un avec la nature : l'idée semble remplir d'espoir cet enseignant d'histoire au secondaire. L'immersion comme unique voie de salut. Dans son suicide imaginaire, après s'être jeté dans une rivière, François se dissoudrait en milliards de particules, traversant la planète du Groenland à l'océan Indien : pluie tombant sur des partisans ouzbeks qui acclament leur nouveau président ou eau dans les verres offerts à des marathoniens à Tunis, puis s'écoulant parmi les rebus d'Alcan et « tombant en retard dans la bouche ouverte d'un plaisancier à la dérive au large des Açores ». (p. 147) Pour le jeune homme moderne, le salut passe par la nature.

Il n'y a pas si longtemps, c'est Nicolas Langelier qui en remettait, avec son récit *Réussir son hypermodernité et sauver le reste de sa vie en 25 étapes faciles* (Boréal, 2010). Son héros quitte les affres d'une vie citadine nombriliste pour se ressourcer et plonger dans la nature :

> Si vous avez bien suivi les étapes décrites tout au long de ce livre, le sentier que vous suiviez débouchera alors sur une sorte de petite clairière inondée de soleil. Vous vous dirigerez en son centre. Impulsivement, vous vous étendrez par terre, sur le dos. Le ciel sera d'un bleu vibrant. Vous fermerez les yeux et sentirez la chaleur du soleil sur votre visage. Derrière vos paupières, des points lumineux danseront sur un fond orangé, comme des électrons autour d'un noyau, comme les molécules d'acides aminés dans la sève des arbres, comme les globules blancs dans votre sang[6].

Enfin, le personnage d'une des nouvelles de Mark Anthony Jarman est carrément « ressuscité » par dame Nature. En l'attaquant au moment où il s'apprête à ingérer une quantité nocive de pilules assorties, un puma déjoue sa quête suicidaire en réveillant ses instincts. « Le puma m'a chassé de la pente, des pins et de la térébenthine et m'a ramené à la vie[7]. »

8.

Je ne peux m'empêcher de penser que nous ferions des coureurs des

6. Nicolas Langelier, *Réussir son hypermodernité et sauver le reste de sa vie en 25 étapes faciles*, Montréal, Boréal, 2010, p. 218.
7. Mark Anthony Jarman, *op. cit.*, p. 164.

bois assez pitoyables, Bock et moi, vu les ruminations pointilleuses que nous échangeons en courant. L'atavisme, c'est ce spleen héréditaire qui afflige le commun des mortels et le place devant un impératif ancestral : *creuse des tombes ou crève*. Peut-être est-ce pour sortir de l'impasse que nous courons ou écrivons.

9.

La mécanique du corps ne m'apparaît jamais aussi bien mise à l'épreuve que lors d'une course. À chaque foulée, les muscles du genou absorbent plus de trois fois la quantité d'énergie cinétique qu'ils produisent et, à l'inverse, ceux de la cheville produisent un peu moins de trois fois la quantité d'énergie qu'ils absorbent[8]. L'équilibre entre propulsion et absorption, inspiration et expiration, systole et diastole est perpétuellement compromis par le monde extérieur (le parcours, le temps, etc.). Voilà, si on veut, l'enjeu latent du jogging.

10.

Dans ce qui finit par avoir l'effet à la fois envoûtant et inquiétant d'un déracinement, les histoires de Raymond Bock ravivent avec force le mythe du pionnier, mais ce dernier y apparaît sous la forme d'un homme assommé par le poids du destin. Voilà une image qui convient bien à mon ami Bock, qui refuse à ses personnages tout idéalisme, tout romantisme tel qu'on pouvait en affubler le héros tragique du roman du terroir. Dans « Peur pastel », récit qui fait culminer la charge émotive, introspective et existentielle de la figure paternelle, l'auteur évoque le désœuvrement du pionnier et la résurgence d'un idéal communautaire subverti :

> Mon fils est beau et le sera sûrement longtemps, en lui réside tout ce qui reste d'humain dans ce pays d'épluchures desséchées. [...] J'attends qu'en pleine nuit les cloches des dernières églises encore invendues se mettent à sonner pour rassembler ceux qui sauront encore ce que veut dire être ensemble. S'il est alors assez vieux et souhaite se mêler à l'assemblée, j'en bénirai mon fils, puis j'irai, avec qui voudra m'accompagner, survivre quelques mois, quelque part, probablement au Nord. (p. 68)

Dans cet extrait, Bock trouble la dialectique entre les mythes du Nord et de la Terre qui, selon Victor-Laurent Tremblay, structurent

8. David A. Winter, « *Moments of Force and Mechanical Power in Jogging* », *Journal of Biomechanics*, vol. 16, nº 1, 1983, p. 91-97.

l'imaginaire canadien-français : « le premier valorise la virilité d'un nomadisme aventureux en accord avec les forces de la nature, et ainsi la forêt et la chasse ; le second renvoie à la sédentarité et au féminin, en consacrant une communauté soumise entièrement aux forces morales d'une tradition terrienne[9] ». Le fils de « Peur pastel » saura donc perpétuer cet héroïsme communautaire alors que son père représente une sorte d'aventurier déchu, qui choisira de s'isoler dans la nature moins pour l'affronter – cette bataille a déjà eu lieu – que pour s'y laisser disparaître, se faire avaler par le Nord, abandonner l'aventure. Le fils, lui, se rangera du côté de la communauté, du sédentarisme, plus par défaut que par soumission à des forces morales quelconques. Il le fera parce que c'est la norme, parce que, nous le devinons, son père l'a fait avant lui, et parce que c'est ce que font les fils : ils « portent la flamme[10] ».

11.

L'éclaireur, dans le domaine militaire américain, est aussi nommé « scout ». Et il est dit que le général Custer comptait parmi ses éclaireurs, durant la guerre contre les Sioux, la mythique Calamity Jane. Figure de l'idéal immersif en ceci qu'il doit constamment reconnaître les spécificités changeantes de son milieu, le scout se transforme, chez Jarman, en recruteur ou en découvreur de talent (*talent scout*) qui arpente le continent pour convaincre des clubs de hockey d'inviter son propre fils à leur camp d'entraînement. L'ironie veut que le fils, joueur très prometteur aux yeux du père, se tanne du hockey. Le projet héréditaire tourne donc à vide, le scout échoue dans sa mission.

12.

Les préoccupations filiales sont au cœur d'*Atavismes,* dont le titre même marque l'aboutissement d'une réflexion sur ce qui constitue l'héritage national et familial. Il vaut la peine d'observer quelques-unes des figures paternelles qui tapissent le recueil, pour bien mettre en évidence les correspondances qui surgissent entre l'historique et l'intime.

9. Victor-Laurent Tremblay, « *Un dieu chasseur* de Jean-Yves Soucy : rituel de virilité dans un monde féministe ! », dans Isabelle Boisclair (dir.), *Nouvelles masculinités (?) : l'identité masculine et ses mises en question dans la littérature québécoise*, Montréal, Nota bene, 2008, p. 52.

10. Dans le roman postapocalyptique *La route*, de Cormac McCarthy, un homme demande à son fils de « porter la flamme ».

Il en est ainsi dans la nouvelle comique et troublante, aux forts accents ducharmiens, intitulée « Raton ». On y découvre le cocon tissé serré d'un bébé surnommé Raton et de ses parents assistés sociaux qui se nourrissent de télé, de bière et de sardines, dont le penchant contestataire est affaire d'héritage. Devant les *crosseurs* et *menteurs* qui gouvernent et peuplent le monde, le père fait figure de bouclier. Il protège sa lignée. Pourtant, le personnage narrateur considère la télé, organe premier s'il en est d'un *ils* manipulateur, comme son unique source d'information. Sans montrer au grand jour cette contradiction, il laisse s'installer petit à petit une paranoïa dirigée vers le monde extérieur ainsi qu'une vision cloîtrée de la vie familiale qui rendent le cocon toujours plus hermétique : « Moi quand Raton va être assez grand pour la regarder avec nous, je vais lui répéter de faire attention. Faut pas croire tout ce qu'on dit à la télé, dans les journaux, à l'école. Faut pas croire personne. » (p. 131) Or, si Raton finit effectivement par ne plus croire personne, s'il ne décolle pas de l'écran pour se mêler à la vie, la lignée s'éteindra à coup sûr.

Bock s'amuse à jouer avec les contradictions d'un paranoïaque peu lettré, et cela se traduit par un monologue désopilant où l'ignorance du narrateur et la spontanéité de son langage créent d'excellentes chutes. En plus de donner voix à un personnage plutôt miteux, l'auteur met en scène une hérédité qui, elle aussi, tourne à vide, où « les bébés gardent les vieux en vie plus longtemps », et où « c'est pas tout de s'occuper des bébés, y a un moment où il faut s'occuper des parents aussi, c'est l'ordre des choses ». (p. 130) Nul ne pourrait contredire ces affirmations appartenant à la sagesse populaire, mais Bock souligne à grands traits, non sans recul ironique, l'aspect statique ou circulaire de cette vision de l'hérédité, surtout lorsqu'elle va de pair avec un discours paranoïaque et protectionniste. Le père ici n'a d'importance que dans sa fonction de teneur de livres sans génie.

« Raton » apparaît alors comme le négatif de la nouvelle « Peur pastel », qui montre une jeune famille dont l'isolement semble tout aussi volontaire, mais relève moins d'une paranoïa désinformée que d'un doux nihilisme : « Nous squattons des terres volées, nos dollars sont des octets, chaque vestige mis au jour nous rappelle que ce que nous voyons, cette feuille entre nos mains, ces vêtements que nous portons, ces babioles, ces trésors, tout sera enseveli et délavé. » (p. 60) Peu à peu se constitue une terre vaine où les seuls objets faisant office d'héritage se trouvent dans une boîte que les protagonistes ont ramassée dans une ruelle ; on y découvre les maigres possessions d'une vieille dame décédée dans la solitude. Dans cette boîte, une série de quatre clichés que le narrateur prend la peine de décrire, laissant les référents les plus factuels — dates et lieux — faire office de récits familiaux : « Sept. 86. Moi — 67 ans — à côté du chalet. » (p. 66) Des aïeuls, il ne reste que des vestiges cryptiques, ce que Michel de Certeau décrit comme des « "éclats" de récit plantés autour des seuils obscurs de nos existences[11] ». Dans le fils, celui qui agit sur le père comme une « fenêtre sur ce monde verrouillé » (p. 61), réside tout espoir. Comme l'affirme la charmante Nancy de « Raton » au sujet des rapports intergénérationnels, le fils redonne en quelque sorte vie au père.

13.

« Je nous sais condamnés par les vapeurs d'asphalte, l'ubiquité du grand guignol et la victoire des chiffres sur les lettres. » Si, en lisant cette phrase déclamée par un des narrateurs d'*Atavismes,* j'ai peur de reconnaître les pointes de pessimisme qui peuvent parfois tous nous hanter, Raymond Bock y compris, ce dernier saurait sans doute admettre que l'écriture de ce livre représente une tentative de prendre le dessus, de faire perdurer quelque peu l'univers des lettres dans un monde de chiffres.

Le recueil s'ouvre sur une affirmation des plus programmatiques : « Pour moi, ça doit passer par les mots. » (p. 11) Il se clôt quelque deux cents pages plus loin avec un tout autre message : « Peine perdue. Les mots font autre chose. » (p. 229) Que se passe-t-il entre ces deux affirmations? *Atavismes* met en scène le processus d'une désillusion : quand il s'agit de représenter le réel (historique, familial ou autre), les mots font immanquablement défaut. Roland Barthes explique que « chaque fois que l'écrivain trace un complexe de mots, c'est l'existence même de la Littérature qui est mise en question; ce que la modernité donne à lire dans la pluralité de ses écritures, c'est l'impasse de sa propre Histoire[12]. » Chez Bock, la réalité historique devient suspecte en ceci qu'elle dépend du langage et, plus fortement, de l'écriture.

Au risque d'employer une analogie quelque peu facile, j'ajouterais que l'écrivain se pose lui-même en une sorte de coureur des bois, franchissant l'espace sauvage pour ouvrir des sentiers à son lecteur, tout en connaissant très bien les périls qui l'y attendent.

11. Michel de Certeau, *L'invention du quotidien. I. Arts de faire*, Paris, Gallimard, 1990, p. 184.
12. Roland Barthes, *Le degré zéro de l'écriture*, Paris, Gonthier, 1964, p. 54.

14.

La qualité première du coureur des bois, donc, c'est sa capacité de faire corps avec son environnement. Ça doit être le surplus d'oxygène dans mon sang, ou l'endorphine dans mon cerveau, mais il m'arrive de penser, au milieu d'une course, que nous sommes gigantesques, héroïques, par le simple fait de courir. Je me sens alors invincible. Bock et moi, nous courons en tant qu'hommes au diapason avec leur environnement. Nous courons comme nos pères et nos mères ont couru. Je me demande s'il entend aussi Spencer Krug chanter «*you are a runner and I am my father's son*[13]» chaque fois qu'on amorce un nouveau trajet. Nous chaussons des Adidas, des New Balance, des Puma. L'été, nous courons en shorts et en t-shirts faits en tissus synthétiques. Nous utilisons le mot *gear* pour parler de nos vêtements parce que l'expression les rapproche plus de l'idée d'un équipement, d'une mécanique. *Gear* comme les vitesses d'une voiture. Et, dans le froid de février, nous suons, et notre sueur est plus réelle que n'importe quel syndrome du canal carpien qui nous guette à longueur de journée dans nos bureaux respectifs, devant nos portables et nos allongés doubles respectifs.

Bock s'y connaît mieux que moi en matière d'histoire, en matière de littérature, mais en matière de course à pied, nous sommes pareils. Nous modulons notre vitesse comme on fait du *fine-tuning,* nous connaissons nos *gears, man,* comme chaque fissure de l'asphalte du boulevard Gouin entre l'île Perry et l'île de la Visitation. Nous décidons de ralentir la cadence et nos machines respectives baissent de régime comme des moteurs allemands. En fin de parcours, nous nous serrons la main tout croche : à travers nos gants, nos doigts commencent à s'engourdir, mon dos est tout mouillé, et mes cuisses vont commencer à être crampées si je décide de remonter la côte de la rue Saint-Hubert jusque chez moi à la course. Alors j'endure le froid, comme un homme au diapason avec son milieu.

13. Wolf Parade, *You Are A Runner and I Am My Father's Son,* extrait de *Apologies to the Queen Mary,* Sub Pop Records, 2005.

MATHIEU ARSENAULT

RURALITÉ TRASH

Ils sont deux sur scène, Pierre Brouillette-Hamelin à la guitare, présence discrète, et Alexandre Dostie au micro, casquette de chasseur, moustache de garagiste, jeans déchirés, t-shirt de la série *Jackass* aux manches coupées. Guitare et voix, rien d'autre. L'atmosphère s'installe petit à petit : riff hypnotique qui rappelle les Doors, et regard intense de Dostie, perdu vers le fond de la salle, concentré comme peu de poètes en sont capables. Ce que nous nous apprêtons à entendre, sur cette scène du Café Chaos où ils performent ce soir-là dans le cadre du Off-Festival international de littérature 2011, sera entièrement improvisé. Dostie a tout au plus un canevas, une esquisse. Une fois la musique bien installée, il commence :

> Par une nuite polaris, à cheval sur un ski-doo ; la bête est *midnight blue,* pis l'Univers avec. Y a des étoiles partout, le ciel est bas, pis la fille qui te tient le *chest* a des mitaines grosses comme tes bras... Est belle. A doit sentir ce que sent l'bonheur. A s'appelle Carmen, mais toi tu l'appelles... mon cœur. Mon cœur a les mains sur ton cœur dans une nuite polaris, en fuite sur un lot d'la Domtar...

Le public est fasciné, happé par l'extraordinaire cohésion de la musique, du flot de Dostie et de cette trajectoire effrénée de la motoneige en pleine nuit sur un sentier non balisé, attendant l'accident ou la scène de baise torride vers laquelle l'histoire se dirige inévitablement, car la performance, à peine commencée, est déjà si intense qu'elle ne pourra se terminer qu'en explosion de sang, de sexe ou d'essence. Le Duo Camaro est sur scène, le Duo Camaro *owne* la place.

*

L'imaginaire de Dostie est brut, viril, presque sauvage. Des désespérés qui font brûler leurs souvenirs dans un «*pit* de sable»; des chasseurs qui tirent leur frustration au «douze à pompe»; des cokés de bars de région pathétiques qui essaient de racoler des mineurs; des enragés qui n'ont qu'une seule idée en tête, «péter une baguette de *pool* dans l'dos d'un gars», et les autres clients qui les regardent sans intervenir. Dostie ne fait pas dans le conte, mais bien dans la poésie. Il raconte moins qu'il crée des atmosphères en développant des thèmes ou en mettant en place des scènes qui valent en elles-mêmes comme images et non comme éléments du récit. Et, par-dessus tout, sa poésie avance à la recherche du détail juste, détail qui croque en quelques traits le désœuvrement de ce territoire économiquement dévasté que constitue pour l'essentiel la ruralité québécoise contemporaine. Sa démarche est d'abord dans ce regard particulier, cette manière d'évoquer des images fortes : en cela, il fait partie d'un courant de poésie rassemblant des auteurs qui travaillent la ruralité trash.

Le terroir trash est beaucoup plus que le pendant régional du trash urbain auquel appartiennent les poètes Jean-Sébastien Larouche, Daniel Leblanc-Poirier, Frédéric Dumont, Jean-Philippe Tremblay et Marie-Ève Comtois. Il développe en effet ses propres thèmes, ses propres lieux, et surtout sa propre manière de voir. Alexandre Dostie, Marjolaine Beauchamp et Érika Soucy sont les représentants les plus significatifs de ce courant, mais d'autres poètes, comme Marie-Josée Charest, Jocelyn Thouin, Naomi Fontaine ou Robin Aubert, ont recours à certains éléments de l'esthétique trash ou s'en inspirent. Il émane de ces poètes une telle impression de cohésion esthétique qu'il ne serait pas farfelu d'évoquer l'émergence d'un mouvement littéraire, qu'on pourrait appeler la *ruralité trash*.

Dostie, Soucy et Beauchamp sont dans la vingtaine, habitent à l'extérieur de Montréal et se sont fait connaître sur la scène poétique par leurs performances. Dostie, on l'a vu, fait preuve d'un exceptionnel talent d'improvisateur. Sans texte, il brode à partir d'un canevas, de lieux et de figures qu'il développe en quelques minutes à peine. Soucy, quant à elle, performe depuis l'âge de dix-neuf ans sur les scènes de poésie *off* de Montréal, Québec et Trois-Rivières, avec un phrasé caractéristique, proche du rythme de l'alexandrin. Sa forte présence scénique doit beaucoup à ses études en théâtre. Beauchamp, finalement, est la plus connue des trois auteurs et performeurs, depuis sa victoire au Grand Slam de la Ligue québécoise de slam en 2010, sa deuxième place à la Coupe du Monde de slam-poésie de France en 2011, et ses prestations comme invitée en première partie de Richard Desjardins. Les poèmes de Dostie, Soucy et Beauchamp sont marqués par le spectacle performatif : la fulgurance ramène chaque texte à l'essentiel. L'écriture est très crue, dépourvue d'ornementation, mais elle prépare ses effets, ses retournements, des images qui condensent en un trait toute une atmosphère, comme dans le poème de Soucy, extrait de *Cochonner le plancher quand la terre est rouge* (Trois-Pistoles, 2010), où une Vierge sur une télé capte toutes les espérances et les désespoirs d'une vieille femme :

> cette vieille qui ne pleurait pas
> la mort de ses enfants
> devait payer sa vie
> cinquante piastres par semaine
>
> elle croyait à l'invisible
> qui la sauverait aussi
> la vierge sur la télé
> devait porter bonheur

Des images comme celle-ci, la poésie de la ruralité trash sait instinctivement les isoler en les ramenant à l'avant-plan, images parfois kitsch mais le plus souvent brutales d'un passé délabré qui persiste avec peut-être plus d'insistance en région qu'en ville, moins parce qu'on leur attribue plus de valeur que parce que l'entropie économique les y a laissées immobiles, comme les marques de cet oubli qui caractérise si douloureusement la ruralité québécoise contemporaine. Comme les figures de Soucy qui habitent les parcs de maisons mobiles de la Côte-Nord, celles de Beauchamp errent dans les espaces usés de la misère familiale et des organismes publics qui leur viennent en aide, « sur des sofas sales / où toutes les fesses des gens poqués / venaient conter leur vie » (*Aux plexus,* L'Écrou, 2010) ; les hommes de Dostie, quant à eux, ont en commun cette virilité brutale et désuète des années 1970, une virilité de chasseur, de garagiste, mal adaptée aux mœurs policées de notre époque. Davantage que la violence et la misère, omniprésentes dans cette poésie, ce qui caractérise peut-être le plus la ruralité trash, c'est ce regard qui sait traquer l'oubli du territoire, la misère qui le ronge.

Cette poésie révèle à quel point la modernité postindustrielle s'est construite à travers une marginalisation si radicale du terroir qu'elle en a provoqué l'oubli autant dans les politiques que dans l'imaginaire.

Le regard et l'oubli

Il n'est pas étonnant que ce lien entre regard et oubli fonde la poésie trash rurale. Du point de vue de l'imaginaire contemporain, ils sont les seuls héritages que nous avons reçus du terroir en poésie.

En effet, la littérature du terroir, typique de la première partie du XXe siècle au Québec, est devenue pour nous un vecteur d'oubli, sorte de production négative qui a permis à notre littérature moderne de respirer, lui donnant son moment dialectique à partir duquel elle pourrait faire table rase du passé. Depuis cette modernité d'où nous l'observons aujourd'hui, cette littérature du terroir prémoderne ne nous donne plus à voir que sa structure idéologique. Personne ne lit en effet *La terre paternelle, Charles Guérin* ou *Chez nous* pour le plaisir; nous n'arrivons le plus souvent qu'à y relever, amusés, les débordements d'un enthousiasme douteux pour la patrie et les valeurs de la terre. La modernité en a fait une sorte de repoussoir nous appelant à nous méfier de tout asservissement du littéraire à l'idéologie dominante. On fait souvent grand cas du roman, mais la poésie a elle aussi souffert de l'oubli provoqué par ce mouvement dialectique. Comme le roman, elle s'est prêtée aux emportements, hugoliens précisément, pour la patrie, la race et la religion catholique en terre canadienne. Selon moi, très peu de strophes arrivent à nous donner autre chose que le spectacle de l'idéologie mise en vers. Une patineuse emporte dans sa joie celui qui l'observe chez Benjamin Sulte, une perdrix est frappée en plein vol chez Beauchemin, l'arrivée de l'automne, pourtant étrangement inquiétante, remplit de bonheur chez Albert Lozeau; trois fragments de poèmes qui ont la beauté épurée de la contemplation, où le regard est dépouillé d'emphase, et où les métaphores ne servent qu'à accrocher une subtilité du paysage ou de la vie paysanne. Nous ne sommes à aucun moment près des esquisses schématiques des paysages de Saint-Denys Garneau, mais on pourrait presque voir en ces poètes mineurs des précurseurs.

Ces quelques fragments arrachent pourtant à la malédiction de l'oubli propre au terroir une idée du regard sur le territoire. Mais l'oubli contaminera aussi ce regard. On peut déjà remarquer que Saint-Denys Garneau, en inaugurant la modernité québécoise en poésie, a aussi mis fin à la possibilité d'un regard spécifique sur le territoire. Balayés par le discours, les signes, la ville, les poètes de la modernité seront incapables de saisir le territoire d'une manière convaincante. Le regard sur le Saint-Laurent de Gatien Lapointe voit le sujet, le pays, l'Homme, le monde, il plonge dans l'infini, mais il manque le fleuve, le paysage même. Pire encore, les imitateurs de Lapointe ont créé ce monstre de «poésie du pays», écueil contre lequel se sont échoués nombre de recueils dont plus personne ne se souvient. Partout ailleurs, nommer le pays en poésie signifiait le plus souvent arpenter la carte plutôt que le territoire, nommer les régions et les villages, nommer les espèces et les arbres, rapporter le plus possible sur le sujet à évoquer et laisser le tout macérer dans un enthousiasme naïf. Tous les poètes qui ont tenté de retourner au paysage (je pense à Robert Melançon, Pierre Morency ou Pierre Ouellet) n'ont réussi à faire correspondre que de brefs moments lumineux du terroir à une écriture timidement contemporaine, sans arriver à créer un véritable mouvement d'entraînement qui aurait permis à l'écriture actuelle contemporaine de reposer l'œil sur le visible lui-même.

L'éclipse du regard sur le territoire dans la modernité poétique n'est importante que parce qu'elle est symptomatique de toute une période qui a soudainement perdu la capacité de voir le monde qui l'environnait. La poésie accompagne en ce sens le tourisme, car on trouve là aussi les mêmes problèmes de la modernité et du visible. Le tourisme en effet travaille le regard, organise la visibilité rurale, cachant certains paysages pour en montrer d'autres, façonnant les attentes du vacancier de manière à ce que les détails du trajet, qui ne correspondent pas à ce que l'on désire lui montrer — ces paysages romantiques et les poncifs environnementaux qu'on y associe —, lui demeurent imperceptibles. On donnera ainsi à voir les productions du terroir plutôt que les grands espaces d'exploitation industrielle, la fermette d'alpagas plutôt que les mégaporcheries, les sentiers aménagés, mais pas les routes dangereuses des compagnies forestières, etc.

La construction de l'autoroute 20 dans les années 1960 est historiquement significative de ce point de vue. Sur cette autoroute, il n'y a à proprement parler rien à voir. Les paysages qui la bordent ne sont pas faits pour qu'on s'y arrête. Construite pour le transport des matières premières, elle sert surtout de nos jours à transporter les matières transformées des grands centres vers la périphérie, et, durant les mois d'été, les touristes à qui on présente les territoires aménagés à leur intention, guère plus. Entre Montréal et la Gaspésie, où elle devrait aboutir dans un avenir rapproché, cette autoroute ne traverse aucune ville sinon le quartier industriel de Drummondville et une frange de banlieues satellites de Québec. La route est droite, bordée de boisés dépouillés de tout signe qui en permettrait la singularisation, et ce n'est que tout au loin qu'on devine des villages sans nom, sans identité, et quelques éléments géographiques, comme les Appalaches, l'île d'Orléans, que l'on distingue à peine, comme dans un engourdissement pâteux. La 20 a été conçue, comme toutes les autoroutes, dans un souci fonctionnaliste qui ne cède rien à l'imaginaire.

La route 132, qui longe l'autoroute et fait le tour de la Gaspésie, est plus engageante pour le regard du touriste. On y frôle des maisons, on peut apercevoir les entrées, les cours arrière, on traverse les villages, et c'est seulement dans ce bref moment qui sépare le lieu de départ de la destination programmée pour le touriste que la campagne laisse voir un instant le territoire habité.

Ce sont ces espaces que nous donne à voir une suite poétique impressionnante de Marie-Josée Charest parue dans la revue *Jet d'encre*, au printemps 2011. Quiconque a porté un jour attention à ces paysages jouxtant la 132 y reconnaîtra la justesse du regard de Charest : elle aligne les vers comme défilent les terrains le long de la route, sorte d'écotone dérangeant qui expose aux regards anonymes des automobilistes la vie privée des habitants.

caps de roue
camion de la ville
main sur le volant
poubelle bleue
chaises de patio
téléphone public
sapins arrachés lancés sur le bord de la route
maçonnerie

coupole
et un banc de bois
placé pour regarder la route
et nous
car nous sommes ce qui défile
(« mais la terreur surgit de nulle part », p. 125)

Ces espaces ruraux du Québec, espaces de campagne, de petites villes et de villages, apparaissent comme des non-lieux pour notre société postindustrielle, des terrains en friche, laissés dans un semi-abandon par cette économie mondialisée qui n'en a pas besoin. Sur ce territoire en trop ne règne à perte de vue que la misère ordinaire des régions. On trouve bien des fermes, des scieries, quelques usines de première transformation, mais elles exploitent à des prix dérisoires des ressources trop peu abondantes pour soutenir durablement l'économie locale. En complément à ces maigres apports économiques, des bureaux gouvernementaux, de chômage ou de « gestion de la ressource », des hôpitaux, des hospices et quelques commerces de première nécessité forment l'essentiel du tissu économique régional. Le reste n'est que désœuvrement et tentatives d'y échapper, et, sur ces routes qui ne sont pas destinées aux touristes, entre les maisons abandonnées, les granges désarticulées et les cours à *scrap* de fortune, des bungalows et des terrains bien entretenus apparaissent, fragments d'une banlieue égarée en pleine campagne, où des individus jouent comme ils le peuvent à la classe moyenne. On y tond une pelouse d'un vert émeraude artificiel, entourée de boisés de conifères vert profond ; on y attend le jour où l'eau de la piscine montera enfin à 80 °F, en retirant sans relâche à l'épuisette les feuilles et les brindilles qui flottent à la surface.

Beauté sauvage et brutale

C'est ce territoire que scrute la poésie du trash rural, qu'elle travaille, détaille et approfondit. Et ce regard est non seulement d'une étonnante pertinence, il est aussi à plusieurs égards inouï, car il retrouve la capacité de contempler un territoire qui avait échappé depuis cinquante ans à la poésie. Il y a eu des précurseurs bien sûr. Dans les années 1970 a existé une littérature régionale engagée, dont il reste peu de traces aujourd'hui. Elle s'est mobilisée en Outaouais, contre le scandale de la décolonisation (Jacques Michaud, Serge Dion ont abordé ce sujet). Rimouski a aussi connu une mobilisation analogue contre l'exode rural et les fermetures massives de villages, à la fois en musique (Gaston Mandeville, Lawrence Lepage), en théâtre (Le théâtre les gens d'en bas) et en poésie (Jean-Marc Cormier). Les œuvres qui ont émergé de cette mobilisation portent la trace de l'engagement, mais on peut y déceler aussi l'apparition d'un regard humaniste sur la brutalité et le vide que laissaient à l'époque derrière elles les politiques gouvernementales de désaffection du territoire. La ruralité trash actuelle a délaissé la dimension militante pour ne garder que cette brutalité du regard sur un tissu social qui, trente ans plus tard, est plus dévasté socialement et économiquement que jamais. Mais ces premières œuvres engagées, bien qu'annonciatrices du trash rural, n'ont à peu près pas eu de retentissement et sont tombées dans l'oubli; l'influence majeure et avouée d'Alexandre Dostie, de Marjolaine Beauchamp et d'Érika Soucy se situe plutôt du côté de Patrice Desbiens, lui qui a su le premier jeter ce regard impitoyable sur Sudbury, ville minière mais surtout ville du vide culturel, où les instants de beauté sont fugaces.

Dostie, Beauchamp et Soucy doivent à Desbiens leurs personnages, des figures désœuvrées, chômeurs, assistés sociaux ou jeunes dans la vingtaine à la dérive, entre délinquance et contrats journaliers. Ils lui doivent aussi une certaine manière de les croquer sur le vif, sans récupération idéologique, sans non plus forcer ni la mise à distance ni l'empathie. Ils en font plutôt des compagnons de misère. C'est particulièrement le cas chez Érika Soucy, dont l'écriture est d'abord tournée vers l'environnement familial de ces marginaux des régions à l'existence houleuse, sans avenir et embourbés dans leur misère :

> la route a disparu
>
> on dit qu'elle passe sur le haut de la côte
> près des vestiges
> de ce grand oncle géologue
> qui aimait vivre
> pour chercher l'or
> dans le creux des femmes
>
> la route a disparu

« tout ce qu'on trouve à c't'heure
c'est pepitte en bécyk
quand y'a un char qui passe
on vire une christ de brosse »

Une atmosphère plus lourde encore règne dans la suite « Grand complexus », qui ouvre *Aux plexus* de Marjolaine Beauchamp, et qui a pour décor l'univers communautaire et psychiatrique :

Amélie
L'horloge
Toute la nuit
En compétition avec les somnifères
S'ajoutait à la voisine
Dans sa chambre solitaire
Qui pour endormir ses pensées suicidaires
Sûrement
Cognait sa tête jusqu'au sang
Sur le mur de béton vert.

Malgré la dureté sans concession de ces recueils, leur lecture ne laisse pourtant pas une impression misérabiliste. Car, comme c'est le cas aussi chez Patrice Desbiens, l'effet recherché n'est pas tant le scandale et la dénonciation qu'une sorte de posture contemplative qui n'est atteinte que dans l'équilibre entre les moments de violence et de pure beauté. Dans ces moments de rare maîtrise qui constituent peut-être l'aspect le plus original et percutant de la ruralité trash, la brutalité du désœuvrement vient répondre à la rudesse du paysage et constitue une sorte de voie d'accès à la beauté sauvage et ambiguë du territoire. Traverser la misère comme on traverse le cynisme pour se reconnecter, au-delà, avec le territoire est peut-être l'accomplissement le plus notable de l'esthétique rurale trash que seule la poésie est capable d'atteindre. Ce moment de grâce en est un de dénuement, de dépossession de soi, où le regard n'est plus regard sur quelque chose, où la misère donne pendant un bref instant l'impulsion qu'il faut pour abolir toute identité et accueillir le paysage en soi. Le dernier poème de *Cochonner le plancher quand la terre est rouge,* qui donne son titre au recueil d'Érika Soucy, exprime très bien ce retournement :

C'est minuit et demi
l'heure des estropiés
on engourdit les anges
avec le poêle au gaz

on cultive les fougères
on essaie le camouflage
on cochonne le plancher
parce que la terre est rouge

*

Minuit sur la piste enneigée non balisée, le ski-doo du Duo Camaro s'est arrêté. Ses passagers n'ont pas été décapités par une chaîne tendue sur un terrain privé, comme on aurait pu le penser, ils sont tombés dans la neige, ont enlevés leurs *coats* et « fourrent d'amour la mort » dans les vapeurs d'essence de la motoneige qu'ils ont laissée tourner à leurs côtés. Alexandre Dostie s'arrête net au moment le plus intense et la guitare de Pierre Brouillette-Hamelin accompagne dans sa descente le public du Café Chaos encore en transe.

LE VOLEUR ET LE ROI

Troisième confession d'un cassé[1]

1

J'ai longtemps volé dans ma vie. Ce qui me fait drôle quand j'y repense, c'est que ça n'avait pas grand-chose à voir avec ma situation financière. Je ne volais pas, comme on pourrait le croire, pour survivre, en tout cas pas au sens où on l'entend d'habitude. Ce n'était pas du Dickens ou encore du Zola, mon affaire. Je n'ai jamais volé de pain parce que je me mourais de faim. C'était plus niaiseux que ça. Ou peut-être plus complexe.

La toute première chose que j'ai volée était un pauvre kiwi. J'avais dix-huit ans et je travaillais comme plongeur à la cafétéria du cégep de Rosemont. Ma première job. La première fois où je me démenais à faire quelque chose que je n'aurais jamais fait si on ne m'avait pas mal payé pour le faire. Ça me troublait. C'est sans doute pourquoi aujourd'hui encore, chaque fois que je veux écrire « salaire », je fais le même lapsus : j'écris « salire ».

1. Les deux premières confessions sont parues dans les numéros 284 et 289 de la revue *Liberté*, en mai 2009 et en novembre 2010.

En plus de laver des chaudrons qu'on aurait pu aisément qualifier de marmites, si ce n'est même de baignoires, j'étais aussi chargé de « fermer » la cuisine. Ça consistait, une fois tout le monde parti, à passer la vadrouille, essuyer les comptoirs et remettre un semblant d'ordre dans les chambres froides qui étaient toujours bordéliques. C'est dans celle où l'on mettait les légumes, les fruits et les produits laitiers qu'un soir, j'ai entraperçu du coin de l'œil un bol rempli de kiwis. Je ne sais pas ce qui m'a pris, mais j'ai tendu la main et j'en ai mis un dans ma poche. Je l'ai mangé, avec la pelure, dans le métro, en m'en retournant chez nous. Ensuite, j'ai recommencé le lendemain, puis le soir d'après, l'autre soir d'après encore, comme ça, sans cesse, pendant cinq ou six mois. À la fin, leur goût m'écœurait tellement que je les distribuais à gauche, à droite, à mes amis, à mon frère, à ma sœur, une fois même à des inconnus dans le métro qui m'ont pris pour un fou. Je les laissais aussi juste pourrir dans le fond de mon sac ou encore dans un bol, sur ma table de cuisine.

La seule raison pour laquelle ça s'est arrêté, c'est qu'un après-midi une des filles de la cuisine qui ne pouvait pas me sentir a failli me rentrer dedans avec un chaudron rempli de sauce brune bien bouillante. Un heureux événement. Grâce à lui, parce que pas mal de sauce avait revolé, j'ai pu partir en plein milieu de mon *shift,* malgré les protestations du gérant qui me répétait sur tous les tons : « *Come on,* c'est pas si grave que ça. » J'ai passé le reste de la soirée à l'urgence, d'où je suis ressorti avec deux bandages blancs, de même qu'un beau gros paquet de documents signés m'ouvrant toute grande la porte des largesses de la CSST.

2

On ne dirait pas comme ça, mais je ressemble beaucoup à Blanche DuBois, la folle dans *A Streetcar Named Desire.* Comme elle, *I've always depended on the kindness of strangers,* j'ai toujours dépendu de la bonté d'un paquet d'étrangers. C'est comme ça que le médecin qui me soignait m'a renouvelé mon certificat d'incapacité à me plonger les bras dans l'eau de vaisselle longtemps après que mes brûlures ont cicatrisé comme il faut. À chaque visite, c'était la même routine : le bon docteur défaisait mes bandages, examinait mes plaies, refaisait mes bandages, puis me demandait, sourire en coin, si j'aimais ça, laver de la vaisselle. Comme un bon petit soldat, je lui disais la vérité : Non, pas tellement. Il me signait après ça un autre papier, une espèce d'amulette, qui me permettait de ne pas revenir au travail pour encore deux belles semaines. Les gens qui pensent avoir réussi dans la vie me prennent souvent en pitié. C'est peut-être parce que je suis maigre.

Ce manège-là, qui m'a permis de me désintoxiquer des kiwis, m'a surtout donné le temps de trouver une autre job, ma deuxième, même si je ne l'ai pas, en vérité, obtenue par moi-même. Si la propriétaire du Tourne-page m'a engagé quand je me suis pointé à sa librairie, ce n'est pas tellement parce que j'avais fait bonne impression. Environ deux semaines auparavant, j'avais reçu chez moi un autre document officiel du bon gouvernement de la province de Québec. Pour une obscure raison, j'étais devenu admissible à une *gimmick* d'insertion au marché du travail. En ma qualité de jeune, l'État s'engageait à payer la moitié de mon salaire, et ce, pour une année entière, à n'importe qui voulant bien me dire : Bienvenue à bord. Quand Jacqueline a vu le papier bleu, elle m'a demandé si je pouvais commencer lundi. J'étais devenu libraire.

Le premier matin, pendant que Jacqueline me reniflait en se demandant si, au final, elle avait fait une bonne affaire, un gars est entré tout d'un coup pour nous demander *Le procès* de Kafka. Comme l'inventaire m'était encore quelque peu nébuleux, j'ai regardé Jacqueline qui a regardé le client. *Le procès* de Kafka, certainement. Avez-vous le nom de l'auteur? J'avoue bêtement que ça m'a catastrophé. Sans rien dire, j'ai traversé la librairie jusqu'à la section des livres de poche, j'ai trouvé *Le procès* dans les *K,* je l'ai remis au client qui l'a déposé sur le comptoir. Combien je vous dois? Jacqueline a pitonné le prix sur la caisse, c'est onze et cinquante, s'il vous plaît, de l'argent a été échangé pendant que, tout fier, je mettais le livre dans un sac. Mais avant que j'aie pu le donner au gars, Jacqueline me l'a arraché des mains pour y mettre la facture et aussi un signet. Une fois le client parti, elle n'a pas attendu une seconde pour me dire qu'il ne faut *jamais* oublier de mettre la facture dans le sac. Le signet aussi. C'est important, le signet. Il y a le nom, l'adresse, puis le numéro de téléphone de la librairie dessus. Tout ça, évidemment, sur le ton d'une mère supérieure qui condescend à se pencher sur une pauvre âme perdue.

Je me suis rendu compte ce jour-là que je tenais de mon père. Avoir un patron le mettait hors de lui, même si c'était un homme farouchement de centre droit. Il haïssait, j'oserais même dire avec passion, tout ce qui pouvait de près ou de loin ressembler à un syndicat ou même à un employé mécontent de son sort. Si ça ne fait pas son affaire, il a juste à se trouver une autre job ! Mon père, c'est bien simple, adorait le Conseil du patronat. Il devenait, par contre, étrangement hargneux à l'idée seule d'avoir un boss payé pour lui pousser dans le cul.

D'après la chronique familiale, c'est une disposition qui lui serait venue de son grand-père maternel, qui l'avait pratiquement élevé, et dont le grand drame – mon père le racontait tout le temps – avait été de passer une partie de sa vingtaine en exil à Pittsburgh à cause d'un patron trop bouché. Les détails varient selon les versions, mais, enfin, mon aïeul travaillait comme commis dans une petite épicerie qu'il trouvait trop petite. Régulièrement, il demandait à son patron de la faire agrandir, ce sur quoi son patron lui disait de se mêler de ses affaires. Un été, pendant que l'achalant était en vacances, mon arrière-grand-père en a profité pour faire venir un entrepreneur. Quand l'épicier est rentré à la fin août, son magasin avait doublé de volume. Comme la facture avait été libellée à son nom, il a mis la police aux trousses de son commis qui, pour leur échapper, a sacré son camp aux États.

3

Si le désaccord entre mon arrière-grand-père et son patron était d'ordre commercial – agrandir ? pas agrandir ? –, je me suis vite aperçu que celui entre Jacqueline et moi était ontologique. Ce qui nous opposait l'un à l'autre, c'était la nature même du monde. Nous n'avions pourtant pas beaucoup de discussions enflammées à ce sujet, mais quand j'arrivais en retard, ou camouflais trop mal mon écœurement, elle se faisait le devoir de m'exposer son point de vue sur la chose. Grosso modo, elle pouvait toujours concevoir qu'en raison de mon jeune âge, les priorités de l'existence m'étaient aussi confuses qu'aléatoires. Cela étant dit, il fallait que je comprenne qu'en devenant son employé j'étais aussi entré dans ce qu'elle appelait la « vraie vie ». Il ne tenait qu'à moi d'agir en conséquence. Autrement – la vraie vie étant implacable – elle se verrait bien forcée de sévir. Or, ce qui pourrait toujours être qualifié de cocasse, c'est que la raison principale de mes retards, comme de mon peu d'ardeur au travail, découlait justement de ce que la véracité de cette « vraie vie » m'échappait peu ou prou. C'est d'ailleurs quand j'ai compris que ça m'échapperait sans doute jusqu'à la fin de mes jours que j'ai commencé à lui voler des livres. Les kiwis, il faut le dire, c'était de la petite bière.

Il va sans dire que je n'aurais pas fait long feu au Tourne-page si, pendant tout ce temps-là, l'État ne lui avait pas refilé, rubis sur l'ongle, la bonne moitié de ma paye. Je ne vois pas d'autre raison pour laquelle on m'y tolérait. Ce n'était peut-être pas aussi vulgaire que ça, mais j'imagine que Jacqueline se disait : de toute façon, au prix où il me revient... Ce qui devait arriver arriva. Deux semaines avant la fin du *deal* entre Le tourne-page et le gouvernement, Jacqueline m'a téléphoné pour me dire, et je cite, « qu'il était temps qu'on se sépare ». Ainsi s'est terminée ma première année comme libraire, une année, je l'avoue, extrêmement formatrice. Le tourne-page m'a en effet initié, et j'ajouterais avec une justesse et un sens de la mesure admirables, à tout ce que j'ai pu rencontrer par la suite sur le marché du travail : d'abord l'ennui, ensuite le désœuvrement, puis, au final, l'insignifiance. Bref, pour le dire en des termes devenus désuets, beaucoup de ténèbres et peu de lumière.

4

Comme on s'en doute, mon premier 4 % n'a pas été le dernier. Je pourrais même dire qu'il a inauguré avec honneur une longue série. Et si je peux toujours expliquer par le menu détail chacune des gouttes qui ont fait déborder chacun des vases où j'ai pu travailler, tout ça demeure, au fond, anecdotique. L'unique et véritable raison pour laquelle je n'ai jamais su garder la plupart de mes jobs reste au fond assez simple : je n'ai jamais pu m'habituer à mon statut de « ressource humaine ». Le destin d'une ressource, en effet, n'est pas tellement glorieux. Ça se résume à être pompé, consommé ou brûlé d'une façon ou d'une autre. C'est ce qu'on aime chez la bûche. C'est ce qu'on apprécie dans le charbon. Être qualifié de « ressource » est rarement bon signe. Demandez-le au pétrole, par exemple. Avant l'invention du moteur à explosion, on lui sacrait la paix. Il passait ses journées tranquille, au chaud dans toutes sortes de sous-sols, sans jamais achaler qui que ce soit. Mais dès qu'il est devenu une ressource, la belle vie, c'était fini. On a beau ne pas s'entendre sur le moment précis de sa disparition, on sait quand même que ses jours sont comptés. Ostie qu'il doit le haïr, Henry Ford.

C'est la même chose pour une ressource humaine. Ce qui compte n'est pas tant son humanité que sa capacité à brûler, j'ajouterais même : idéalement par les deux bouts. Ce qu'on accepte, pendant les heures où on est salariés, ce n'est pas de vendre sa force de travail, comme le disait Marx dans le temps, mais de quitter son humanité pour entrer dans la grande famille des choses. On devient ainsi des cousins pas tellement éloignés de la forêt ou du gisement de cuivre. Comme eux, on n'a du sens que dans la mesure où on peut servir. À partir du moment où on commence à s'épuiser, on perd, étrangement, de notre attrait. On nous laisse tranquilles dans ce temps-là, en friche. On ne va quand même pas investir dans de la cochonnerie qui ne vaut rien. J'ai peut-être l'orgueil mal placé, mais ça a beaucoup joué dans mon désir d'être le moins malléable possible. Mon attitude a comme grand avantage qu'on se débarrasse de moi avant ma date de péremption. Chaque fois que ça m'est arrivé, je l'ai vu comme une victoire : je suis un homme, pas une ressource, même quand on est assez odieux pour affirmer qu'elle est humaine.

5

En comptant les interruptions, les entractes, les intermissions, j'ai fait le libraire pendant environ dix-sept ans. Et dans chacune des librairies où j'ai travaillé, j'ai volé. Dépendamment de l'endroit, ça oscillait entre un ou deux livres par année à quatre ou cinq, six par semaine. Comme le veut l'expression, c'était à la tête du client. Ce n'était pas nécessairement aussi mathématique que ça, mais plus je me faisais chier, plus je volais. Dans celles où je volais peu, je le faisais, pour ainsi dire, malgré moi. Dans celles où je volais beaucoup, je le faisais avec un enthousiasme, une euphorie, qui frôlaient par moments le délire.

Je n'ai pourtant pas volé que des livres. J'ai aussi travaillé ailleurs qu'en librairie. Comme on me le répète depuis trente ans, pour être compétitif, faut être polyvalent. Ce qui fait qu'à la Sandwicherie, je volais des viandes froides, du fromage, des olives, des cornichons aussi. Chez Van Houtte, bien évidemment, je volais du café. Au secrétariat du cégep de Saint-Laurent, je volais du papier, des crayons, des trombones, des Post-it, des enveloppes. Le seul endroit où je n'ai jamais rien dérobé a été l'édifice où j'étais gardien de sécurité. Ce n'est pas de ma faute, il n'y avait rien à voler. Pour ma défense, j'y ai quand même dormi un nombre considérable d'heures, d'abord de façon inconfortable, sur ma chaise, à mon poste, puis un peu plus confortablement sur le divan dans le salon des visiteurs, puis, finalement, très confortablement dans le lit de l'infirmerie.

Pour en revenir aux livres, ma vraie passion, la librairie où j'ai le plus sévi s'appelait L'entrepôt du livre. Il faut peut-être préciser que son patron, dès le début, m'avait flatté bien comme il faut dans le mauvais sens du poil. Pendant mon entretien d'embauche, après avoir survolé mon cv, il s'est contenté de lâcher : « Aye, on n'est pas des intellectuels, icitte. On vend des livres. » Le sort en était jeté. J'y étais pour ainsi dire possédé par un véritable démon. En plus de voler des livres en quantité quasi industrielle, j'y ai volé pratiquement tout ce qu'il y avait à prendre : des rouleaux de papier toilette, des Scott towels, du Windex, des sacs de vidanges, des barres de savon, du *duct tape*, des magazines, des journaux. À peu près tout sauf de l'argent. S'il y avait un plaisir certain à posséder les livres que je volais, une ivresse même à voir les rayons de mes bibliothèques se garnir comme par magie, voler tout ce qui était de l'ordre des produits ménagers me procurait un bonheur immense. Ce qui m'attristait, par contre, c'est que ce bonheur-là était toujours de courte durée. Une fois dans mes armoires, mon butin commençait déjà à perdre de sa saveur. Quand je commençais à l'utiliser, c'était fini : plus rien de ce que j'avais ramené du travail ne se distinguait de ce que j'avais pu acheter en faisant l'épicerie. C'était loin d'être le cas avec les livres. Même des années après, sagement classés par ordre alphabétique dans mes bibliothèques, ceux que j'ai volés brillent d'un éclat bien différent des autres.

6

C'est un économiste français, un dénommé Pierre Joseph Proudhon, qui le premier aurait énoncé que « la propriété, c'est le vol ». Si l'affirmation pouvait toujours choquer au XIXe siècle, elle fait sourire aujourd'hui, tant on la trouve désormais aussi surannée qu'outrancière. On n'a pourtant pas besoin de la retourner de tous les bords pour y déceler de la vérité. Des empires coloniaux se gavant des ressources des pays conquis aux ouvriers dont on délocalise l'usine pour exciter les actionnaires, la richesse qu'on n'arrête pas de nous inciter à créer s'est plus souvent qu'à son tour arc-boutée sur le dos de ceux qui n'en profitent pas trop. Il ne faut peut-être pas, du coup, s'étonner qu'à divers moments dans l'histoire quelques marginaux plus en maudit que les autres aient décidé, selon le principe de l'arroseur arrosé, de forger un projet politique visant à déposséder les nantis pour la simple et bonne raison que leurs avoirs étaient précisément le fruit de dépossessions préalables.

Si je me permets cette digression-là, c'est pour bien faire comprendre que les vols que j'ai commis n'avaient pratiquement rien du projet politique. Un certain besoin d'infléchir, au moins symboliquement, le rapport de force entre mes patrons et moi était, bien sûr, à l'œuvre, de même qu'une envie de compensation que mon salaire n'arrivait pas à accomplir tout seul, le pauvre. À la limite, je serais prêt à avancer qu'un esprit de vengeance y jouait un certain rôle – comme ils m'écœurent, je vais les écœurer moi aussi –, mais tout cela n'en constituait en rien le moteur principal.

Si j'ai volé, c'est que partout où j'ai pu travailler il n'y avait rien d'autre à faire. Évidemment, il y avait de la vaisselle à laver, des planchers à torcher, de la paperasse à photocopier, des cafés à préparer, des livres à étiqueter, mais tout ça, c'était de la frime, à la limite de l'arnaque, même. Ce qu'on me demandait, en vérité, n'avait rien à voir avec ces tâches. Tout ce qu'on exigeait de moi, c'était que je participe comme tout le monde à générer de l'argent. Si j'avais pu en produire, pour ainsi dire directement, en faire apparaître par magie, jamais on ne m'aurait demandé de faire autre chose. Placer des livres, faire l'inventaire, passer le balai, toutes ces niaiseries-là n'étaient jamais que des prétextes, un détour plus ou moins pénible pour arriver à l'objectif ultime qui était toujours le chiffre d'affaires. L'objet lui-même, le service offert, les employés, les clients n'avaient, pour le dire comme ça, aucune réalité, aucun poids. Ce qui en avait, ce qui comptait, ce n'était que cette chose purement symbolique qu'est l'argent. Et ce symbole-là, jour après jour, mangeait le réel. Au point où il fallait vraiment faire un effort pour l'entrapercevoir à travers le brouillard de chiffres qu'on générait. Le matin, quand je me rendais au travail, je partais en fait pour nulle part. En entrant chez Van Houtte, ou à la librairie Prud'homme, j'avais le sentiment, chaque fois, que je quittais le monde pour m'enfoncer dans un univers parallèle peuplé d'ombres et de faux-semblants. C'est pour ça que je volais. Pour revenir au concret des choses, me préoccuper de leur valeur plutôt que de leur prix. Chaque vol était une tentative, naïve j'en conviens, de percer une espèce de trou afin de faire entrer dans tout ça un petit peu de lumière, de réel, d'air frais. Je volais parce que, contrairement à tout ce que je pouvais faire pendant que je me trouvais au travail, c'était un geste concret. Ce n'était bien sûr pas suffisant pour repousser à jamais les ténèbres, mais ça m'aidait à voir où je mettais les pieds. Ça m'a évité de me casser la gueule.

7

Comme beaucoup des personnages qui peuplent la mythologie grecque, le roi Midas n'est plus tellement une référence aujourd'hui. C'est dommage, surtout que son histoire commence par une brosse. Une vraie, une grosse. C'est Silène, un satyre, un soûlon, le père adoptif de Dionysos qui la prend. Cette nuit-là, il boit tellement qu'au matin, il n'a pas la moindre idée de l'endroit où il se trouve. Comme en plus de ça, il a mal à la tête, au cœur, au foie, il se met à désespérer. À vomir, également, pour tout ce qu'on en sait. C'est à ce moment-là que le roi Midas le trouve. Comme porter une couronne n'implique pas nécessairement que l'on soit dépourvu de compassion, Midas le ramène au château, siffle deux, trois serviteurs puis leur ordonne de s'en occuper comme du monde. Je ne sais plus comment Dionysos, qui se rongeait les sangs d'inquiétude, apprend que Silène est chez Midas, mais toujours est-il qu'il y débarque lui aussi. Retrouvailles, effusions. Dionysos est tellement content de retrouver celui qui s'est donné la peine de l'élever que, pour remercier Midas, il décide de lui accorder un vœu. Demande n'importe quoi, ça me dérange pas. Comme dans toutes les histoires du genre, c'est là que le roi va fauter. Ce qu'il se dit, dans un tout premier temps, c'est qu'il a avantage à choisir comme il faut. Un vœu, ça s'épuise vite. Mais en faisant le bon choix, ça peut durer longtemps. La première affaire qui lui vient à l'esprit, c'est l'argent. Comme ça, au moins, je vais pouvoir me payer la traite. On a beau être roi, l'argent, on n'en a jamais trop. De l'argent, donc, oui, O.K., mais combien? Midas se lance dans toutes sortes de calculs, mais peu importe la somme finale, il en vient toujours, dans ses rêveries, à l'épuiser au complet. Ça le déprime. Tout d'un coup, il a son flash : il faudrait qu'il puisse générer de l'argent à volonté, quand ça lui chante. Pas de calcul, pas de budget, pas d'inquiétude. De cette manière-là, ça n'arrêterait jamais, et ses chances de se retrouver un jour Gros-Jean comme devant seraient réduites à peu près à zéro. Je veux être capable de transformer en or tout ce que je touche. Pour Dionysos, offrir ça ou un sandwich au jambon, c'est du pareil au même. Il réalise son vœu sans arrière-pensée, le remercie de s'être occupé de Silène, puis s'en retourne chez eux, avec son soûlon de père en dessous du bras.

Une fois tout seul, Midas est quand même un petit peu nerveux. Marchera, marchera pas? Comme il est juste à côté d'un figuier, il tend la main lentement, timidement même, jusqu'à ce que le bout de ses doigts touche le tronc. Pouf! Des branches aux racines en passant par tout le reste, le figuier se transforme en or massif. Le roi est tellement énervé, euphorique, hystérique qu'il se met à courir à travers son royaume. Les buissons, les couleuvres, les oliviers, la garnotte, les rochers, les brins d'herbe, tout y passe. La seule chose qui l'arrête, c'est la faim. C'est vrai que de se démener comme il fait, ça creuse. C'est comme ça qu'il rentre au château demander à un de ses cuisiniers de lui préparer quelque chose. Quand le serviteur arrive avec la belle cuisse de poulet, le bol d'olives, le fromage puis le pichet de vin, Midas se dit miam, miam, maudit que ça va être bon. On voit d'ici le malheur. Dès la minute où le roi prend la cuisse de poulet dans ses mains elle se transforme en or. C'est la même chose avec le fromage, les olives; même le vin, quand il touche les lèvres du roi, se change en beau métal précieux. Midas commence à la trouver moins drôle, surtout que sa fille chérie débarque à ce moment-là pour lui sauter au cou.

8

« Cassé » est une traduction littérale de *broke,* une image qu'on pourrait qualifier de familière laissant entendre que l'on est momentanément dépourvu d'argent, un anglicisme donc. L'origine de l'expression viendrait du XIVe siècle, moment où, en Europe, les banques se mettent à pulluler, et avec elles, comme on s'en doute bien, le crédit. La Renaissance, ce n'est pas juste Montaigne, Michel-Ange ou François Ier. Comme on n'avait pas encore inventé le plastique, à la place des cartes qu'on connaît aujourd'hui, les banques faisaient faire pour leurs bons clients de belles plaquettes en porcelaine, qui ressemblaient à des tuiles de salle de bain, sur lesquelles on inscrivait le nom de la banque, celui du détenteur, de même que sa limite de crédit. Quand celui qui la franchissait se rendait à la banque pour essayer de téter un peu d'argent, le préposé au guichet, pour lui signaler que c'était la fin, fracassait la plaquette, bête de même, sur le comptoir. À partir du moment où sa plaquette était cassée, le gars l'était aussi.

Les Français, de leur côté, disent « fauché ». Le terme emprunte plutôt à la paysannerie qu'au milieu de la finance, puisque l'expression tout entière précise « comme les blés ». Un sans le sou, en effet, se retrouve aussi nu qu'un pauvre champ juste après la moisson. Dans un cas comme dans l'autre, ce qui faisait sa valeur lui a été retiré. Chose amusante, dans la même veine argotique, « faucher », le verbe cette fois-ci, signifie « voler ». On m'a fauché ma montre, mon collier, mes souliers, ainsi de suite. C'est qu'à l'époque où les gens se promenaient avec une bourse plutôt qu'un portefeuille, ils l'attachaient généralement à leur ceinture à l'aide d'une cordelette ou d'une lanière de cuir. Le voleur, pour s'emparer de l'argent, devait donc faucher la ficelle soit à l'aide d'une serpette, soit d'un couteau.

Dans le domaine du sport, « faucher », le verbe encore et toujours, je cite *Le Petit Robert* – je n'ai pas les moyens de m'acheter le gros – veut dire : « faire tomber brutalement un adversaire par un moyen irrégulier ». « Faucher » peut aussi vouloir dire « abattre » jusque dans son sens le plus brutal, c'est-à-dire tuer. Le fauché est ainsi celui qu'on a rasé, émasculé et fait tomber d'une manière vicieuse. Dans le pire des cas, cela peut mener à la mort, celle-ci étant, comme on le sait, la Grande Faucheuse.

Finalement, j'aime mieux être cassé. C'est peut-être un anglicisme, mais je trouve que ça me ressemble. Être cassé, c'est être rompu, brisé, ne pas ou ne plus fonctionner comme du monde. C'est tout à fait mon cas. Ça ne marche pas, mon affaire. Faut dire que je n'ai pas toujours envie que ça marche non plus. Comme on me le reproche de temps en temps, je ne m'aide pas beaucoup. La remarque me fait toujours un drôle d'effet. Un mélange de honte et de désarroi. Comme si on me mettait au ban des choses du monde. Je ne sais jamais quoi répondre et, d'habitude, je regarde par terre comme un enfant fautif. Ça ne change pas grand-chose à l'affaire, mais ça donne un peu de tonus au reproche. Celui qui me le sert a au moins l'impression de ne pas gaspiller sa salive. Peut-être même que ça fait sa journée. L'autre option est presque pareille : je regarde au loin, par la fenêtre, quand il y en a une. Malheureusement, je ne sais pas trop pourquoi, elle appelle une réaction beaucoup moins agréable : Bon, ben, c'est ça, reste dans ta marde. Comme si le fait de fixer l'horizon était perçu comme un affront ou de l'arrogance, ou je ne sais quoi encore. Georges Hyvernaud a raison : « On n'est jamais trop poli quand on est pauvre. » Ce n'est pas tout d'être cassé, il faut en plus être humble. Un pauvre baveux, personne n'aime ça.

M'aider beaucoup, je veux bien. Mais à quoi ? À m'acheter une maison, un terrain, une clôture, un cinéma maison, un chalet, deux autos ? À me payer un voyage dans le Sud par année ? Pourquoi ? Pour que tous ceux qui possèdent les mêmes mautadites affaires soient capables de me considérer comme un des leurs ? Misère. Tout ça me fait juste penser à la « vraie vie » avec laquelle Jacqueline m'achalait. J'ai l'impression qu'on veut m'enrégimenter, comme elle, dans une équipe pour jouer à quelque chose que je trouve, je m'en excuse, insignifiant, avec des règles qui me sont odieuses. À la fin d'une partie, de toute façon, on a beau regarder dans toutes les directions, tout ce qu'il y a à voir, c'est de la richesse, c'est-à-dire la pauvreté qu'elle recouvre, qu'elle chevauche, qu'elle étouffe.

9

J'ai des fois l'impression que le monde tout entier, avec nous autres dedans, est une manière de lac, ou même seulement, les jours où je suis plus fatigué, de flaque qui, à cause du froid, lentement mais sûrement, se raidit, se durcit, se cristallise, se crispe. Les surfaces liquides ont l'air d'être cernées. Je ne sais pas si c'est le début, la fin ou le milieu de l'hiver, mais en tout cas la glace avance. Elle se resserre, pas pressée, autour de ce qui reste. Je ne sais pas non plus si c'est de la volonté, ou du bête réflexe pavlovien, mais tant qu'il restera de l'eau, même une ou deux enclaves, la glace ne sera pas tranquille. On dirait une armée en marche. Ça n'a pas gagné tant que ça n'a pas tout conquis. On dirait le roi Midas. Le commandant en chef, c'est lui. Chacun de ses maudits soldats est capable de changer en or tout ce qu'il touche. Les moins doués changent ça en plomb ou en plastique, en *styrofoam*. C'est pas grave. C'est pareil. Ils avancent.

Je ne voudrais pourtant pas laisser croire qu'avoir les deux pieds dans l'eau, surtout quand nos bottes sont humides, est une situation idéale. Les matins où je suis pris pour compter mes cennes, même les noires, où je dois me rendre au comptoir de ma caisse pop parce que le guichet automatique ne peut pas, ou ne veut pas, me donner les quatorze piasses et vingt-deux qu'il me reste, je me fais chier. Mais le monde en or de Midas m'écœure encore plus. Dans les petites zones de la flaque qui n'ont pas encore été contaminées, même si l'eau est boueuse, on peut quand même la boire, on peut quand même se baigner. Je sais bien que ce n'est pas là que réside ce qui peut nous rester de vraie « vraie vie », mais comme le suggère l'adage, de deux maux, en l'occurrence ici de deux exils, il n'est peut-être pas mauvais de choisir le moindre. L'on comprendra, j'espère, que si la chose m'était donnée, je n'opterais pas ainsi pour un pis aller. Je choisirais plutôt un lieu qui ne serait pas un bête réservoir à épuiser. Un endroit où l'angoisse de vivre ne serait pas maquillée comme une pute en angoisse de payer son loyer, sa carte de crédit, ou de gaver son REER. Un lieu où on pourrait, en paix, laisser son irritation d'être soi s'aggraver, s'apaiser, s'aggraver, puis s'apaiser encore, au gré d'un rythme qui, comme nos empreintes digitales, n'est semblable à nul autre. Si Dionysos était là, devant moi, c'est juste ça que je lui demanderais. Qu'on ne vienne pas me dire que c'est plus déraisonnable que le vœu de Midas.

HORS DOSSIER

ROBERT RICHARD

LE SEXUEL ET L'OCÉAN

Deux petites pensées sur le sexuel, ici, avec une finale sur Joyce pour ceux qui n'aiment guère qu'on parle de ces choses. La prochaine fois, c'est promis, nous parlerons du droit romain.

1.

L'érotisme de Sade n'est pas celui de ces livres qu'on lit d'une seule main (bien que ceux-ci puissent être tout à fait agréables à l'occasion). Son érotisme s'ouvre lentement après avoir fermé le livre — et parfois longtemps après seulement. Et cet érotisme ne tient pas à telle ou telle scène qu'on se remémore. Il tient à quelque chose qui relève de la totalité du livre — son côté effronté, son côté franc, affranchi.

2.

Qu'est-ce que le sexuel ? C'est ce moment où les corps sont le plus susceptible de se retrouver engorgés de subjectivité. Mais s'ils sont ainsi engorgés, on peut se demander : qui est qui dans tout ça ? Impossible de savoir vraiment. De toute manière, il se peut que la question de savoir à qui appartient telle ou telle subjectivité ne soit même pas recevable. Elle n'a pas de sens comme tel. La subjectivité, au fond, ça n'appartient à personne. Le corps ou plutôt les corps regorgent de *subjectivation,* voilà tout !

La rencontre sexuelle serait donc une manière de vortex de subjectivité — que dire de plus?

Pour moi, ce sont des prises de vue comme celles-là qui permettent de se faire une idée du malaise que Jean-Paul Sartre ressentait face à l'œuvre de Georges Bataille.

Sartre a une conception phénoménologique du sujet comme constituant. Pour lui, c'est le sujet qui donne sens au monde et qui en «constitue» le sens. Ce qui suppose que le sujet existe, d'une certaine façon, *avant* son contact avec le monde. C'est d'ailleurs la critique que Merleau-Ponty adresse à Sartre dans *Les aventures de la dialectique*.

Bataille, lui, n'œuvre pas, mais pas du tout dans ce sens *sartrien* des choses. Pour Bataille, le sujet n'est pas engagé dans un face à face avec le monde — de même en est-il de l'ego qui n'est pas non plus engagé dans un face à face avec un autre ego ou alter ego (comme on pourrait le supposer dans le cas d'un rapport sexuel). La subjectivité est, pour Bataille, ce que chacun parvient à emporter avec lui de la rencontre (sexuelle) — un amas de débris qu'on a pu sauver de ce «désastre». Autrement dit, la subjectivité serait de l'ordre d'un choc ou plus exactement d'une «réplique sismique», comme on dit en sismologie. Or, c'est justement cela qui fait de Bataille un phénoménologue autrement plus profond — moins cartésien — que Sartre a pu l'être.

La subjectivité serait donc — c'est ce que j'ai commencé à dire — ces débris qu'on emporte avec soi. Elle serait en quelque sorte le «peu» qu'on a pu sauver d'un rapport sexuel, aussi rapide, aussi fugace fût-il.

Et si l'on parle du «peu» de subjectivité qu'on a pu récupérer, qu'on a pu réchapper, c'est qu'on a aussi été *obligé* d'en laisser derrière soi. Après tout, ce vortex a été une sacrée tourmente. On n'a pas pu *tout* emporter avec soi — il se passait tant de choses, ça s'effondrait de partout, et on n'avait pas le temps de tout prendre avec soi. D'où ce désir de retourner, de revivre l'expérience, de revivre le rapport dit «sexuel» — faire l'amour à nouveau (pour le dire simplement).

L'amour, serait-ce *ça*, finalement? L'amour serait-il l'obsession, le désir irrépressible de *retourner* sur les lieux du désastre, là où l'on a perdu «quelque chose», et ce, dans l'espoir de pouvoir (cette fois) enfin *tout* emporter sans laisser de reste? Illusion, bien sûr! L'illusion que constituerait l'amour serait à situer là, sur ce plan.

L'amour ne serait pas un mensonge, ce n'est pas un faire-accroire, mais l'espoir de retrouver ce qu'on a perdu ou du moins ce qu'il a fallu, dans notre précipitation, laisser derrière soi. Après tout, on a dû faire vite pour partir (car ça s'effondrait de partout). On a donc pris avec soi ce qu'on a pu. Et nous voilà de retour, et voici que ça se met de nouveau à s'effondrer, et que le vortex se creuse encore plus, il devient de plus en plus abyssal – et, de nouveau, on sauve ce qu'on peut, etc.

Les mystiques savent tout ceci, eux – et elles – qui prient Dieu et tentent d'aller chercher ou de récupérer, à coup de prières et de méditations, le plus de subjectivité possible.

3.

En août 1926, James Joyce est à Ostende, une ville de la côte belge. L'écrivain est en vacances de « santé » : il doit se reposer et prendre l'air frais. Et Joyce d'écrire à Sylvia Beach : « Je ne me lasse pas d'observer avec envie le portier de l'hôtel qui, du matin au soir, répond au téléphone : "Ici le portier de l'Océan". »

FEUILLETON

DANIEL CANTY

TINTIN DANS LA BATCAVE

Aventures au pays de Robert Lepage, épisode 7

Les épisodes précédents de ce feuilleton ont été publiés dans les livraisons 287 (épisodes 1 et 2), 288 (épisode 3), 292 (épisodes 4, 5, 6) de *Liberté,* en février et juin 2010, et en juin 2011.

Résumé des épisodes 4, 5 et 6, « Sculpture du temps », « Un rêve d'Einstein » et « Freud 1, Einstein 0 » : Depuis Vancouver où il repart gagner sa vie sans *professer* la littérature, Daniel Canty constate que le projet de narration en ligne de Robert Lepage, *Hôtel,* sur lequel il fondait ses espoirs de retour à la montréalité, semble avoir passé de la virtualité à l'inexistence. Le soupçon est confirmé à son retour à Montréal, alors qu'il croise le producteur Bruno Jobin, d'abord rencontré au Café Méliès, en promenade devant le Faubourg Sainte-Catherine. Jobin lui explique que Robert Lepage a de la difficulté à *quitter la scène :* ses entreprises transfuges, cinématographiques ou numériques, sont privées de passage dans la réalité par la vanité des clercs. Ces propos fournissent le prétexte à Daniel Canty pour se lancer dans une longue élégie sur les vains efforts des auteurs à s'affirmer comme tels dans l'espace numérique, et sur la tendance fâcheuse de *la machine* (qu'on y entende ce qu'on veut) à tout réduire à sa logique. Parfait prétexte pour rendre hommage à ses équipiers du studio DNA Media, improbable « zone de liberté ». Il revient sur le succès doux-amer de sa première réalisation, à l'âge wellesien de 26 ans, *Einstein's Dreams,* adaptation Web d'une fiction transtemporelle, où l'interface épouse la forme variable du temps. Comme *Hôtel, Einstein's Dreams* fut privé de son incarnation finale par la faillite de DNA. C'est ce projet qui lui a valu l'intérêt de Robert Lepage, d'une dizaine de milliers d'internautes plus ou moins anonymes, et du jury des prix EMMA (European Multimedia Awards), qui se méprennent sur ses inclinations, et préfèrent couronner un projet sur Sigmund Freud en attribuant à tort sa paternité à Daniel Canty. Lorsque notre auteur présente *Einstein's Dreams* à l'événement Interactive Screen du regretté Institut des nouveaux médias de Banff, Danièle Racine, programmatrice du Festival international du nouveau cinéma et des nouveaux médias de Montréal (FCMM), est de l'assemblée. Elle a ce beau mot : « Tu as réussi à faire un projet d'art avec l'argent de Téléfilm Canada. » Grâce à elle, Daniel Canty accède enfin, dans un autre rôle que celui qu'il pressentait, aux étages interdits du complexe Ex-Centris.

Épisode 7
LE PÉRIMÈTRE DE SÉCURITÉ
(2001, 2004, 1974/1986, 1951, 1994, 1996, 2002, 1969/1994)

Par deux fois devenu père (Édouard, Raoul), Bruno Jobin me dirait, des années après notre première rencontre autour du projet *Hôtel,* alors qu'il effectuait, dans la mi-quarantaine, un retour aux études : «Le cinéma, il n'y a pas que ça dans la vie.» C'est vrai. Il y a ceux qui reviennent à la vie sur scène, ou en se déversant en entier en paroles, alors que, pour d'autres, il suffit de porter un enfant au plus près de son cœur. Un moment, nous croyons qu'il n'y a que cela, et nous oublions que les passions qui nous sont étrangères peuvent être égales, ou l'ont été. Puis nous continuons de vivre, priant que nous n'avons pas choisi d'aimer en vain.

Bruno se livre à moi après la première d'*Un été sans point ni coup sûr,* de Francis Leclerc, à la Place des Arts, qui accueille le septième art quand ses distributeurs souhaitent afficher leur faste. Bruno, comme Robert et Francis, est un garçon de Québec, et a été un des premiers à aider le jeune homme à percer, en lui confiant la réalisation d'un téléfilm condensant l'action des *Sept branches de la rivière Ota,* pièce-fleuve qui aurait pris une semaine de *Beaux dimanches* présentée dans son intégralité. La facture du téléfilm est théâtrale, évoquant celle de séries britanniques, comme *The Singing Detective* ou *Doctor Who.* On ressent les décors, le flottement des personnages dans une version fabriquée, ou même «intérieure», de la réalité. Peu importe nos réserves, cet écart a pour résultat d'amplifier la portée métaphysique du téléfilm, de souligner le rapport de l'univers où il se déroule à une réalité autre, dont il serait le signe.

Il y a quelques mois de cela, Francis m'a invité à une séance de consultation autour du scénario du film, où mon nom (j'avoue timidement ma déception) n'apparaît nulle part au générique. Marc Robitaille, auteur du roman éponyme, et du scénario, apparaît habillé de pied en cap en joueur des Expos. Francis, qui a toujours le mot pour rire, me présente comme son ami intellectuel. Un jour, sur les banquettes du Laïka, je lui dis, en riant à mon tour, que j'aurais voulu que *Mémoires affectives* ressemble davantage au *Miroir* de Tarkovski. Par les routes d'un Québec enneigé, Roy Dupuis, alias Alexandre Tourneur, quarantenaire égaré dans l'amnésie, tente de remonter, en visitant ses proches, jusqu'à cet après-midi d'été perdu où son paternel tyrannique s'est noyé. *Je me souviens, Je me souviens,* répètent les plaques d'immatriculation. Francis m'explique que, dans les premières versions du scénario, Tourneur projetait sa condition sur ses proches. Effaçant tour à tour *leurs* « mémoires affectives », il dénouait un à un ses liens douloureux avec le passé. Cette libération, en revanche, creusait de plus en plus profondément sa solitude. Dupuis incarne, avec sa carrure de hockeyeur mélancolique, le mythe romantique d'un triste héroïsme : celui du Survenant, revenu, piteux, de toutes les fêtes, et prêt aux violentes réparations. Je ne me rappelle plus bien si c'est Francis ou son coscénariste, Marcel Bélanger, qui s'est éventuellement opposé à transformer l'anamnèse en processus physique. Si on y regarde bien, on voit comment les scènes de *Mémoires affectives* conservent la trace, révélée dans d'étranges moments d'inconfort, d'inexplicables gestes, de cette version surnaturelle du scénario. Le fantastique a la vie dure, en ce pays incertain. L'épave de la chasse-galerie, repose, écrasée au fond d'un bois aux abords de la 40, recouverte par les neiges oublieuses.

Dans mon souvenir, *Le miroir* donne à voir la mémoire d'un homme, sans qu'il apparaisse jamais directement à l'écran. Comme si Tarkovski avait réussi à montrer cette doublure fantomatique qui nous rend présents à nos mémoires. Notre narrateur demeure complètement invisible jusqu'à la dernière scène, alors qu'il gît alité, derrière un voile de gaze. Un oiseau, entrant par la fenêtre ouverte, vient se poser sur sa main. La main, l'oiseau, l'évanescence du souvenir : voilà tout ce que nous verrons de lui. Pour moi, cette scène, ou celle que j'invente en mémoire, est indissociable de la mort de Tarkovski, terrassé par un cancer à l'âge de cinquante-quatre ans, en 1986, comme s'il s'était lui-même visité en fiction, anticipant le moment de sa propre mort. Certains disent que c'est lors du tournage de *Stalker* dans des zones postindustrielles et toxiques de l'URSS que Tarkovski et plusieurs de ses compagnons se seraient exposés à des radiations mortelles. La mémoire et la volonté de raconter jouent, bien sûr, des tours, et que je me trompe ou non sur la finale du *Miroir,* je sais au moins que ce film nous fait ressentir le mouvement de la mémoire, l'absence au cœur du temps.

Le baseball, comme le cinéma, est une sculpture du temps. Le *diamond* cristallise une forme d'éternité. Le jour de la séance de consultation pour *Un été sans point ni coup sûr,* j'explique à l'assemblée que j'ai réalisé, en 1992, mon essai final du baccalauréat sur une fiction de baseball, « Pafko at the Wall » de Don DeLillo, qui venait de paraître dans la revue *Harper's*. Les autorités uqamiennes ont baptisé « activité de synthèse » ce que les McGillers ou les Concordians appelleraient *Honours thesis,* et je constate aujourd'hui que le titre de mon essai final, « Le périmètre de sécurité », s'accorde étrangement à l'« activité de synthèse ». Ces termes, d'une neutralité presque terrifiante – un *périmètre* sécurisant contre quelle menace extérieure, combien plus vaste ; la *littérature* comme « activité », la fin des études comme « synthèse » –, enclavent l'humanité, réduisent des situations plus tendres, plus *honorables,* à une définition systémique. Ne vous inquiétez pas. Moi aussi j'aimais les hot-dogs moutarde chou, le bruit sec de la batte sur la balle, la rumeur feutrée de la foule houleuse au fond de la radio de l'auto de mon père, tout l'été sur CKAC.

New York, 1951. Pour des raisons inexpliquées, tenant à la volonté mystérieuse des masses, le stade est à moitié vide. Autour des Polo Grounds, les radios démultiplient la rumeur électrostatique du match. Les Dodgers de Brooklyn affrontent les Giants de New York au troisième match des séries finales de la Ligue nationale. Les gagnants affronteront les Yankees en Série mondiale. New York, New York, New York. Nous sommes à l'époque des premiers matchs de nuit, et, à l'arrière-champ, les voltigeurs guettent l'arc des balles sous la lumière des projecteurs. Le Pafko du titre est au champ gauche, pour les Dodgers. Les spectateurs font pleuvoir des papiers sur lui : journaux du jour, pages de magazines, tickets, billets doux, froissements du temps.

Agile comme un voleur de but, Cotter, un garçon sans le sou, enjambe les tourniquets et s'enfonce dans la foule. Jackie Gleason est dans les stands, en compagnie de Frank Sinatra et du célèbre propriétaire de restaurant Toots Shor, à manger trop de hot-dogs, boire trop de bière, et rire de tous ceux qu'il fait rire, alors que les filles scrutent les réactions de Frank. « Jedgar » Hoover, infâme directeur des services secrets, qui songe aux microbes, est là avec eux, à baigner dans leur aura. Les filles scrutent les réactions de Frank et Toots. Ce jour-là, les Russes font détoner une autre charge nucléaire, et les Américains n'auront pas le choix de devancer la nouvelle. Le *diamond* à leurs pieds est un cristal songeur, capteur de rêves, une machine cybernétique ressassant les images du monde et de la mort.

Début de la neuvième manche. Dodgers, 4, Giants, 1. Coups sûrs de Dark et Mueller. Dark au troisième. Lockman à la plaque. Double ! 4-2. Lockman au deuxième, Hartung (coureur substitut) au troisième. Bobby Thomson au bâton. Ce bon vieux Willie Mays attend son tour. Coups de circuit, courts-circuits. Pafko est au mur. *To the*

Moon, Alice ! Jackie Gleason vomit sur les chaussures de Frank. *Elle est partie !* Des pages déchirées dans *Life,* reproduisant *Le triomphe de la mort* de Bruegel, tombent dans les mains de Jedgar. *The Giants win the pennant !* Une lumière mortelle efface la foule. *The Giants win the pennant !* Nul n'entre vivant au royaume des morts ? Bobby Thomson devient un garçon éternel, triomphant du temps par un geste parfait. Le vol d'une balle de baseball déclenche une réaction en chaîne. Ce qui se passe au stade déborde dans les rues. La rumeur radiophonique électrise les *boroughs,* explose indélébilement dans la mémoire collective.

La balle rebondit contre un des piliers de métal vert du stade pour rouler sous les stands. Sous un siège, Cotter, Black d'Harlem, présent par effraction, dispute la balle à une main blanche. C'est celle de son compagnon de match, Bill Waterson, un homme d'affaires quarantenaire, qui reconnaît dans l'entrée par effraction de Cotter le geste passionné d'un vrai fan. *Fathers and sons. Blacks and Whites.* Cotter empoche la balle du coup de circuit gagnant, trace parmi la foule, remontant par les rues de New York, Waterson en chasse, jusqu'à Harlem, où l'homme blanc devra accepter sa défaite. Coups de circuit. Courts-circuits. *The shot heard round the world.* Le *Times* paraphrase Emerson, évoquant les salves de la guerre civile américaine, et nous rappelant qu'elle n'a jamais pris fin.

LES DIMANCHES DU TEMPS

(*Seventh inning stretch*, 1995)

> Where have you gone, Joe DiMaggio?
> A nation turns its lonely eyes to you.
> PAUL SIMON
> *Mrs. Robinson*, 1968

Nous sommes en 1995, mon dernier été montréalais avant de partir étudier à Vancouver. Je travaille dans une librairie aujourd'hui disparue du boulevard Saint-Laurent, *Danger!*, quand je lis pour la première fois un des pavés du week-end du *New York Times*. Prix de détail : 3,95 $. (La nostalgie est une industrie inflationniste : en 2011, l'édition du week-end du *New York Times* coûte 9,95 $ en sol canadien.) Dans la section des sports, un article inspiré vante les mérites des Expos, ces *beautiful losers* qui font honneur à l'esprit du sport. L'an dernier, année de grève des ligues majeures de baseball, les Expos auraient pu être champions du monde. Nous sommes perdants au jeu du socialisme. Avec son humble masse salariale, l'équipe accueille et forme les meilleurs espoirs des ligues majeures. Le Canada a depuis longtemps des lois d'immigration très laxistes. Cubains, Afro-Américains, lanceurs hippies, apprennent un peu de français, se créolisent dans l'exotique recoin francophone d'Amérique du Nord, avant de retourner aux States devenir des *All-American Heroes*, gagner des millions et des trophées. Les balles des coups de circuit et des grands chelems, qui franchissent la clôture bleue à l'arrière-champ, rejoignent le vaste monde. Notre immense stade moderniste, à demi dépeuplé, bel éléphant blanc apparu dans le rêve du pauvre petit Drapeau, qui flotte au milieu du quartier ouvrier, est un monument au possible, une soucoupe volante dérivant au milieu de l'Univers; les mélasses du faubourg Hochelaga, après tout, sont de la couleur du cosmos. Les journaux, quand ils en font l'effort, ont eux aussi une mémoire d'éléphant. Des années plus tard, en 2010, je relirai à peu près le même article dans les pages du même journal. Dans un cas comme dans l'autre, je ne me souviens plus du nom de l'auteur. Tant mieux. La portée universelle de l'argument s'en trouve rehaussée. Montréal, camp d'entraînement des futurs champions, se serait donc spécialisée dans le baseball alternatif, et les journalistes sportifs du New York s'en *Je me souviennent*.

À New York, on lit le *Times* du week-end allongé avec sa belle sur une pelouse de Central Park, en partageant un *smoked meat* à vingt dollars du Carnegie Deli, où Broadway Danny Rose entretenait ses névroses en bonne compagnie. La librairie Danger !, coin Duluth, se trouvait à un pâté de maisons de Montreal Smoked Meat et Schwartz's, qui pratiquent toujours le sandwich à prix modique. Danger ! se spécialisait dans la littérature alternative, et a pris le chemin des Expos, de L'Élysée et du Parallèle. La belle devanture rouge du magasin, avec ses arabesques, rappelle une arche de mosquée des *Mille et une nuits,* et, si elle attire les passants qui veulent bien se glisser par le trou de la serrure et risquer une rencontre avec Schéhérazade, les affaires ne s'en portent pas vraiment mieux. La faune bigarrée du boulevard Saint-Laurent, zigzaguant sur le chemin de l'extase, est souvent sans le sou. Le magasin est tout petit, et, faute d'espace et de clients, il faut veiller seul pour l'essentiel de notre *shift.* Ce n'est qu'à l'heure de pointe, quand les employés de jour de l'Hôtel-Dieu, dans leurs pyjamas bleus, rentrent de leur tour de garde, ou que les publicitaires des agences perchées tout le long du boulevard s'arrêtent un moment, se permettant un acte de consommation au milieu d'une journée trop remplie, que nous sommes deux à nous partager le comptoir. Une fois seul, si le libraire voulait aller aux cabinets ou se sustenter d'un *smoked meat,* il devait verrouiller la porte. Un tour de clef, on retourne le carton suspendu à son fil et à sa ventouse, et on promet d'être « De retour dans cinq minutes ».

Nous gardons à vue, tout près du tiroir-caisse, les exemplaires des livres de Charles Bukowski, William S. Burroughs, Jack Kerouac, et le manuel d'instructions d'Abbie Hoffman, *Steal this book* (1971), qui nuisent aux affaires. Il a été établi scientifiquement que le vol à l'étalage stimule la testostérone de certains lecteurs masculins. Nous tenons d'ailleurs certainement un ouvrage à ce sujet dans la section *Weirdness.* Il est des gens qui, tout de même, abordent leurs lectures trop littéralement, ne comprenant pas que le sens des affaires de certains commerçants est surtout symbolique, qu'ils ont d'abord à cœur le développement spirituel de leurs clients, et ne sont riches que de ce qui échappe aux yeux. Je découvrirai bientôt que les voleurs d'*On the road,* fidèles à leurs idéaux, opèrent d'un océan à l'autre : à la Granville Book Company, haut lieu de la lecture alternative vancouvéroise, on retrouve les mêmes titres à côté du tiroir-caisse.

Pourquoi recourir au système Dewey, ou à l'ordre alphabétique, quand on connaît le cœur des hommes ?

Un homme à l'allure christique (maigre, élancé, hirsute, le regard ébloui) me demande si nous tenons les rapports secrets du gouvernement sur l'antigravitation. Je ne crois pas. Changement de sujet. Il adopte le ton de la conspiration : « Est-ce que vous avez des livres sur le jardinage... ? Tsé, le *jardinage ?* » La culture hydroponique est empreinte d'humour. Je me souviens aussi, par un beau dimanche, d'une troupe de tam-tameurs redescendus du Mont-Royal, envahissant tout d'un coup le plancher. Le garçon rieur qui s'approche du comptoir, dans sa djellaba de jute, fleure bon les herbes folles. Il choisit d'acheter *Love is a Dog from Hell* pour l'offrir à son ex-copine. Il ne connaît pas Bukowski, mais le titre « lui a tout de suite parlé ». Nous rions de bon cœur. *Peace, man.* Il ressort dans un nuage de myrrhe et d'encens.

Un libraire devient parfois malgré lui une sorte de confesseur public. Je veux bien partager un peu d'intimité avec les clients, il n'en demeure pas moins que certaines rencontres me troublent. Un jour de canicule, un homme énorme et microcéphale, qui me fait penser à une poire coiffée d'une minuscule perruque aux boucles rousses, entre inspecter le dernier arrivage de magazines fétichistes, cornet de crème glacée en main. Je n'ose pas l'interrompre, guettant l'équilibre périlleux de sa perruque et l'angle dangereux de son cornet, qui s'écoule dans un lancinant goutte-à-goutte sur les languettes de bois du plancher. *Hmmm.* La boutique est bondée, et il semble tenir tout entier dans son regard, perché, caché, au fond de ses pupilles. Ce géant me fait penser à Concrete, personnage éponyme d'un roman graphique que j'ai lu pendant qu'il n'y avait personne dans la librairie. La chair d'un homme est transformée par une météorite en une substance minérale qui lui confère une force surhumaine. La situation entraîne certains problèmes relationnels.

Notre clientèle est diversifiée et, en général, passionnée. Un après-midi tranquille, alors que je suis seul, un hassidim entre en rafale dans la boutique, sans me saluer, s'achemine tout droit vers la section *Sex,* saisit au hasard un ouvrage, s'assoit sur la caisse à lait en bois disposée au pied des étagères, et se plonge dans sa lecture. Le miroir parabolique qui surplombe le rayonnage me laisse voir entre les pans de son manteau noir, et je m'en inquiète. Il repart après une heure, sans mot dire. *Thanks for the quality time.* Merci pour le bel après-midi.

Une jeune femme blonde au crâne rasé, ancienne opératrice de *phone sex,* se consacre aujourd'hui corps et âme à la réalisation de bandes dessinées. À la fois enjouée et rageuse, la fougue qui l'anime est bonne à voir et, longtemps, je la confonds avec l'auteure de *Dirty Plotte;* on comprendra pourquoi. De temps en temps, elle consigne un nouveau zine dans le présentoir qui accueille les publications faites à la main de Montréal, à côté du rayon consacré aux bandes dessinées d'auteurs. Les fans montréalais réservent chez Danger ! les dernières livraisons de *Love and Rockets* et *Eightball,* et nous tenons, avant la lettre, les meilleurs romans graphiques. Ils peuvent aussi se procurer, dans le présentoir consacré aux zines et à la microédition locale, une version pornographique de *Peanuts* intitulée *Pinottes salées.*

Une jeune docteure du Royal Vic s'arrête, chaque soir, pour parler de ses lectures, peut-être pour se guérir des maux de ses patients. Je crois que personne ne l'attend à la maison. Un homme de San Francisco, en vacances à Montréal, achète sept cent cinquante dollars de littérature contemporaine d'un seul coup. Il me dit que nous vivons dans des villes parentes, si ce n'est du cours du dollar. Les deux dollars de différence entre les prix américains et canadiens inscrits au dos des *trade paperbacks* sont tout à son avantage. C'est le patron qui va être content.

Je serai bientôt tout près de là, à Vancouver, et je me vois déjà en train de traverser les forêts de la côte ouest, comme Deckard et Rachel, son amour androïde, à la fin de *Blade Runner.* Je sillonne les routes de l'impossible république de Cascadia dans une auto électrique. À l'extrémité pacifique du pays, le mouvement indépendantiste a réussi à fonder un pays sylvain, uni par une communauté d'esprit. Ses chefs-lieux sont Vancouver, Seattle, Portland et San Francisco. Neiges éternelles des Rocheuses, forêts diluviennes, verdoyants lacis riverains, monts embrumés, falaises pacifiques, fines bruines maritimes, routes en lacets, Cascadia est un pays si doux qu'il sait même apaiser les tremblements de terre. Dans les cafés, les amateurs d'amour se roulent un autre joint et la petite fumée de leurs rêves va rejoindre les nuages. La fin du monde est ailleurs. Nous n'arriverons pas à Los Angeles en 2019, et elle peut bien sombrer sous de perpétuelles pluies acides.

Le patron de Danger!, c'était Claude Lalumière, aujourd'hui écrivain de *weird tales*. Il tenait, depuis des années déjà, la libraire Nebula, spécialisée dans la science-fiction. Elle avait autrefois pignon sur rue sur Sherbrooke, tout près du Musée des beaux-arts. On montait un escalier en spirale jusqu'à un appartement minuscule, aux murs recouverts de livres de poche multicolores. Claude tenait la garde entre deux bibliothèques, perché sur un tabouret, derrière un comptoir étroit. Il engageait la conversation avec chaque client, qui en retrouvait bientôt son prénom.

La science-fiction, très souvent, est une littérature des idées, où l'écriture, le style, passent après le récit. Pour Claude, elle était la véritable littérature de notre temps. Les citoyens de l'avenir se souviendront-ils qu'à la fin du xxe siècle, dans les chapelles *para*sémiotiques (je fais exprès), on appelait *paralittérature* les païennes offrandes des littératures de genre ? L'humanité ne perd rien pour attendre : les envahisseurs sont déjà parmi nous, et ils nous ressemblent. Chez Nebula, ma section préférée s'intitulait *Slipstream,* jeu de mots sur *mainstream,* qui nous rappelle que la littérature, loin de se réduire à une histoire de genres, est toujours une affaire de style. Le *Slipstream* accueillait, dans son opéra flottant (Barth ≠ Barthes), les meilleurs des inclassables, science-fictionnaires épris de langage ou transfuges de la *Grande Littérature*, qui se donnent tous les moyens possibles pour « élargir notre fréquence temporelle ». On y trouvait — vous m'excuserez de naviguer à l'aide de ces repères professoraux, mais « le langage est un virus extraterrestre » (Billy the Beat Burroughs) et j'ai été bien programmé — des postmodernes, des réalistes magiques, et toute une faune de fabulateurs internationaux et transtemporels, précurseurs et mutations incluses. Bien que j'aie perdu foi en ces trilogies des dragons et autres planétaires aventures qui avaient enchanté mon moyen âge, je retrouvais alors dans ces nouvelles lectures, si fortes en langue, cette invention et ce sentiment du monde qui m'avaient rendu amoureux de l'écriture et de la lecture, choses à la fois plus simples et plus grandes que l'idée de *Littérature*.

C'est Claude qui m'a introduit à J. G. Ballard, récemment disparu (Shanghai, 1930 – Shepperton, 2009). J'aimais dire à qui me le demandait que je lisais surtout des auteurs en B : Burroughs, Borges, Beckett, Ballard. Ballard deviendrait une des figures tutélaires de mes années nébuleuses, celles de l'adolescence tardive, où le monde adulte me semblait autant une menace qu'une promesse.

Années du deuil de l'enfance, où on doit apprendre à rejoindre la réalité, de peur de s'égarer à jamais au fond de sa chambre, dans la maison de ses parents, le cœur piégé dans un étau mental. *Does the angle between two walls have a happy ending, Mr. Ballard?* Ceux à qui sont familiers les faits de la vie de James Graham me pardonneront l'esquisse qui suit. Le très britannique Ballard a grandi à Shanghai, dans la zone internationale, puis, pendant la guerre sino-japonaise, dans le camp de prisonniers civils de Lunghua. À la libération, il part pour l'Angleterre, où il étudie la médecine à Cambridge, dans l'espoir de devenir psychiatre. Il s'enrôle, en 1953, dans la RAF, qui l'envoie au camp d'entraînement de Moose Jaw, en Saskatchewan. Dans le paysage répétitif des Plaines, il écrit sa première nouvelle de science-fiction, un pastiche des *pulps*. Sa science-fiction future sera l'héritière de la psychanalyse et du surréalisme. Ses livres sont des chroniques de l'horreur organique, qui nous rappellent inconfortablement à nos réalités internes. Comme le père Burroughs, qui avait tué son épouse en jouant à Guillaume Tell avec un pistolet, Ballard ressassait lui aussi une irréversible déflagration : la disparition, en 1964, de son épouse Mary, mère de ses trois enfants, que j'ai longtemps crue morte dans un accident de voiture. Ballard, dans *Empire du Soleil* et ailleurs, redonne librement forme aux événements de sa vie. Ses personnages, égarés dans des labyrinthes mentaux, cherchent, dans un monde fracturé, une sortie au temps. Ballard habitait la banale Shepperton, le « Hollywood » anglais, une banlieue briquetée. Dans sa photo la plus connue, il sourit, en complet blanc, sous les feuilles du palmier argenté qui décore son salon. Saviez-vous que les palmiers de Los Angeles sont eux aussi importés ?

Ballard écrivait sur le contenu métaphysique des piscines vides, comme celle qui se trouvait au coin de ma 37e Avenue de Lachine. Il fait paraître, à l'époque de ma petite enfance, une terrifiante « Trilogie de béton », où il déconstruit l'architecture des banlieues, mon berceau. Le Robinson autoroutier de *Concrete Island* (1974) aurait pu échouer sous l'échangeur Turcot, les guerres tribales de *High Rise* (1975) se dérouler dans les HLM de Duff Court, et les collisions psychosexuelles de *Crash* (1973), dans un recoin caché du parc industriel. Mon roman préféré, *The Unlimited Dream Company* (1979), vient tout de suite après, et opérait la synthèse des propos élémentaires de Ballard. Blake, aviateur au nom de poète, s'écrase en pilotant un Cessna volé dans un canal de la banlieue de Shepperton, Ballardville. Il émerge des eaux sous le regard d'un chœur silencieux de déficients mentaux (comme ceux auxquels enseignait ma mère, et qui habitaient en quasi-autarcie à un coin de rue de chez nous). Ils seront les premiers à reconnaître en lui une sorte de démiurge doté de pouvoirs surnaturels, bien qu'incapable de quitter les limites de la petite ville, où se disloquera progressivement l'espace-temps consensuel.

Est-ce que M. Ballard propose un modèle positif pour la jeunesse contemporaine ? Une vision réaliste des rapports sociaux ? Je ne sais trop. En rétrospective, je suis toujours apeuré par les propos de Ballard. Ce n'est pas donné à tout le monde d'être né à Shanghai, de connaître la guerre, et de perdre sa jeune épouse des suites d'une pneumonie. En tout cas, il était grand temps que je parte de ma banlieue, et que je m'éloigne de la source de mon effroi. Paradoxalement, je retiens cette image fantasmée, ajoutée par Spielberg en 1987 à l'autobiographie fictive de Ballard, *Empire of the Sun*, publiée en 1984. Égaré dans un stade encombré des meubles confisqués par les forces d'occupation japonaises aux coloniaux de Shanghai, le petit James voit éclater dans le ciel, au-dessus des gradins, la déflagration nucléaire qui mettra fin à la guerre. Cette image se double, dans ma mémoire, d'une autre, que je me permettrai de ne pas vérifier : sur une plaine décharnée, de terre ocre, le petit garçon en uniforme d'écolier court vers le stade, auréolé de l'éclat nucléaire, comme s'il était en train de manquer le spectacle, à un pas de la vie. Il est à la fois à l'extérieur et à l'intérieur du stade, proche et loin, perdu dans une course qui l'éloigne et le rapproche de lui-même.

Nos solitudes sont parfois effarantes. J'ai souvent rêvé, dans l'enfance, que je survivais à l'explosion des missiles et des antimissiles russes et américains dans le ciel du Québec en me couchant de tout mon long dans la grande fenêtre basse du sous-sol, en fermant les yeux et en me couvrant le crâne. *Why duck and cover, when you can close your eyes ?* Je savais que la trajectoire des missiles, comme celle des vols transatlantiques, suivait la courbe du cercle polaire, et qu'ils risquaient bien d'exploser au-dessus de nos têtes, avant d'atteindre Boston ou New York. Dans mes jeux, je me glissais parfois dans cet espace étroit, tout juste assez spacieux pour accueillir mon corps d'enfant, et je me couchais, face au plafond, en me demandant si les *kapuseru hoteru* (remplacer les *r* par des *l* pour obtenir *capsule hotels*) japonais étaient vraiment confortables. (Plus tard, j'associerai cette fenêtre à la meurtrière du bunker de *Fin de partie* (1957) de Beckett.) Derrière les fenêtres recouvertes de glace de mon sous-sol bunker — un bon moyen de repousser la radiation, selon le *Guide de survie de l'armée américaine* (offert par Québec Loisirs), la vie reprenait. Sous l'escalier, il y avait assez de conserves pour survivre à l'hiver nucléaire, et plusieurs pots de compote de pommes et de cornichons préparés par ma mère. Je ne sais pas où étaient passés mes parents dans ce rêve ; le sous-sol, de toute façon, avait toujours été mon royaume. Un jour, je remonterais dans le *driveway* abandonné, chercher un signal, des signes de vie, au fond de la radio de l'auto de mon père. Rodger Brulotte, Jacques Doucet, où êtes-vous passés ? *A nation turns its lonely eyes to you.* Quelque part au fond du temps, un match de baseball nous épargne de la mort du monde.

« Jedgar » Hoover apprend que les Russes viennent de tester une première arme nucléaire, et le match de baseball prend les couleurs du *Triomphe de la mort*. L'atome a brisé le cœur du monde. Pour se faire pardonner, les Américains ont voulu la Lune, et ils l'ont eue. Le vol des ogives nucléaires à travers nos têtes dormeuses était le pendant terrible de ces échappées stellaires, vers des mondes fabulés, que nous proposait une certaine science-fiction. L'art du lancer lunaire n'a rien à envier aux gagnants du trophée Cy Young. Une fusée quitte l'attraction terrestre par une série d'explosions, se délestant progressivement de ses modules moteurs, jusqu'à ce que l'attraction de la Lune l'attrape en plein vol, et la ramène vers sa surface. Les astronautes atterrissent au milieu de nulle part, se retournent au ralenti vers la balle bleue du monde. Sortent leurs clubs, comme des retraités en vacances, propulsent quelques balles vers l'horizon infini. Ils reviennent sur Terre, tombés amoureux de la Lune. Chaque soir, pour le reste de leur vie, ils guetteront son retour, postés à la fenêtre de leur maison terrestre, prostrés dans leur fauteuil préféré.

Robert Lepage était-il bon au baseball? Les rêveurs tendent à être des Charlie Brown. Le petit affligé de *La face cachée de la lune* a la tête chauve de ce perdant bien-aimé. Accompagnant sa mère à la buanderette, il se laisse hypnotiser par les girations de la machine. Le hublot de la laveuse devient celui d'un vaisseau lunaire, qui achemine le petit astronaute à sa réalité adulte. Le rêve ne nous sauve pas de la vie, il nous ramène à elle. Je songe à Leviathan, mon colocataire de New York, au cancer du cerveau qui le ronge, à ses rêves de Broadway, et aux rôles de docteur qu'il m'enjoint de lui faire répéter. Quel est le secret de la Lune? De l'autre côté du temps, derrière sa face cachée, nous attendons de nous rejoindre.

Dans *Un été sans point ni coup sûr,* le bon père de famille québécois embrasse une autre femme que la sienne le soir de l'alunissage américain. Où vont les vies que nous n'avons pas vécues? Ce soir, sur Terre, la salle de la Place des Arts est bondée, et je n'arrive pas à obtenir mon siège de prédilection, tout au bout d'une rangée. Les jeunes femmes en uniforme à l'accueil me promettent d'être « aussi proche que possible. » Elles me présentent un plan de la salle, où je contemple la zone, indiquée au marqueur jaune, des places occupées. Derrière moi, la foule de la première exerce sa pression. Troisième fauteuil de la deuxième rangée, côté cour. J'attends avec angoisse l'apparition des usurpateurs. Une maman d'une quarantaine d'années s'approche, en tenant fiston par la main. Bienvenue au cinéma des familles. Tenir bon. Le jeune homme, dont l'angoisse semble au moins égale à la mienne, prend place à mes côtés. Nous échangeons un sourire, et il semble reprendre confiance. Moi aussi. *Don't worry, boy, we're buddies through and through, and I won't let you down.* Il semble autistique, ou quelque chose d'approchant, et je l'excuse derechef d'avoir damé le pion à mes angoisses. Sa mère m'explique que son grand frère a joué dans le film, et que mon compagnon pourrait s'agiter en cours de projection. Il se retourne, ravi, vers maman à chaque apparition de frérot. Je reconnais une émotion de qualité quand j'en vois une. Ce jeune homme est manifestement quelqu'un de bien. En plus, il s'avère que nous partageons le même sens de l'humour. Nous rions, lui très fort, moi tout bas, chaque fois que Mack « The Knife » Jones (Phillip Jarrett), fantôme d'un joueur noir à la sagesse sportive et au verbe rebondissant, sort de la penderie du jeune héros. *Un été sans point ni coup sûr* est un drame des années de l'Expo, quand j'avais moins cinq ans, et que mes parents commençaient à s'aimer dans le décor d'un avenir non advenu. Mon ami, je pourrais te raconter toutes sortes de choses qui ne seraient jamais arrivées, et ce serait très beau, et nous ririons ensemble, et la vie en paraîtrait plus douce.

La plus grande réussite du film, qui est aussi une énorme faiblesse, est sa nostalgie avouée, sa volonté de restituer, dans la lumière du cinéma, le sentiment d'anciens étés, et de raviver dans le cœur de chacun, à travers l'histoire d'un seul et de son père, les espoirs perdus de notre pays immémorial. Cette fois, je n'évoquerai pas tant *Le miroir* que *The Bad News Bears* : Walter Matthau en entraîneur «biéreux» d'une équipe de petites pestes, où Tatum O'Neal, abandonnant sa féminité en devenir pour assumer son *tomboy* intérieur et retourner au jeu et, sait-on jamais, sauver cette honteuse équipe. Cela dit, j'avoue être moi aussi un garçon sentimental et avoir eu le moton à plusieurs reprises, mais c'est surtout l'histoire du visionnement, mon compagnon de rangée, la confiance de Francis, le retour de Bruno, qui m'ont ému. La foule est là, aussi, pour se raconter en secret.

Si je suis à cette projection, c'est que j'ai connu Francis quand Bruno, qui a voulu m'aider, m'a invité, après la faillite d'*Hôtel*, à adapter *Mémoires affectives* pour le Web. Le projet se serait intitulé *Immémoire*. Des têtes rêveuses, paupières battant à la cadence des rêves, s'alignent dans l'obscurité de l'interface. Ce sont celles des personnages du film, des acteurs de la vie d'Alexandre Tourneur. Au milieu de la rangée des rêveurs, la tête de Roy Tourneur. Tout au bout, cet animal tutélaire, chevreuil sacrifié par la cruauté du père. Le scénario, décomposé, spatialisé, donne lieu à un remontage architectural du film, où le visiteur démêle les fils de la mémoire, pour tenter de revenir au début de l'histoire. En boucle, l'image incrustée d'une impossible maison, effacée dans l'hiver québécois, où l'histoire a commencé, se dérobant dans la distance, derrière un nuage de pixels. *Immémoire* est un film gigogne, où chaque geste menace de faire basculer les images et d'emporter le visiteur dans les abîmes, les avalanches d'une mémoire perdue.

Au Laïka, Francis, qui a enfin pu lire l'ébauche du scénario, me dit : « C'est dommage, ç'aurait été un maudit beau projet. » J'inscris la citation dans mes pages roses personnelles. Le Fonds Bell avait approuvé le financement à hauteur de nombreux zéros, comme dans le bon vieux temps récent d'*Einstein's Dreams*. Je pourrais enfin redevenir celui que j'étais alors. J'écris un traitement, un scénario préliminaire, une quarantaine de pages. Bruno, Barbara Shrier, la productrice de Francis, et Marc Beaudet, président de Turbulent Média, la boîte de production multimédia associée au projet, n'arrivent pas à s'entendre sur le modèle de production. L'œuvre d'auteur sur l'œuvre d'auteur n'aura pas lieu. Le miroir se fracasse. Le projet s'effondre. Le temps se dérobe.

Le soir de la première d'*Un été sans point ni coup sûr*, pendant la réception d'après-projection, Bruno, devenu bachelier en urbanisme, m'a dit : « Le cinéma, il n'y a pas que ça dans la vie ». M'a dit aussi : « J'aurais aimé t'aider davantage. » Je te crois. Je te crois. Puis il a déclaré, non sans humour, les égouts plus fondamentaux au bien social que le cinéma. La proposition est difficile à contredire. Mais la vie de la fiction tient aussi à nos *gut feelings*. Rappelle-toi, rappelle-toi. *One ancient summer, bottom of the ninth. That sinkin' feeling has set in. Hope regained. Bobby Thomson comes up to the plate. To the moon, Alice! Boys will be boys. And the rest is history. The Expos win the pennant!* Les historiens du possible suivent de leurs regards esseulés les balles perdues des coups de circuit. Elles s'envolent vers la Lune, atterrissent au pied du *pennant* perdu des Expos, qu'un astronaute de Québec a planté au milieu de la mer de la Tranquillité. C'était la plus belle saison, et si elle s'est terminée avant d'advenir, elle a bel et bien existé.

12. UN CHAT N'EST PAS UN AUTRE

Bernard Frank est un chat, Frédéric Vitoux, photographies de Gérard Rondeau, légendes de Bernard Frank, Éditions Léo Scheer, 2011, 151 p.

Une saison avec Bernard Frank, portrait, Martine de Rabaudy, Flammarion, 2010, 143 p.

Mon siècle : chroniques 1952-1960, Bernard Frank, Quai Voltaire, 1993, 396 p ; Julliard, 1999, 396 p.

En soixantaine : chroniques 1961-1971, Bernard Frank, Julliard, 1999, 479 p.

Vingt ans avant : chroniques du Matin de Paris *1981-1985,* Bernard Frank, Grasset, 2002, 478 p.

5, rue des Italiens : chroniques du Monde, préfaces de Jean-Paul Kauffmann, d'Éric Neuhoff et Claudine Vernier-Palliez, Bernard Frank, Grasset, 2007, 718 p.

« D'après nos dossiers, le moment est venu de faire vacciner votre animal. Les vaccins de rappel sont nécessaires, car ils contribuent à conserver l'immunité acquise » : la carte postale de la clinique vétérinaire Beaubien avait été déposée dans ma boîte aux lettres, elle était illustrée d'un chien noir et roux retenant un chat tigré et renversé sous l'une de ses pattes avant (ce qui m'a aussitôt fait penser à « Patavan », l'un des chats d'Yves Navarre quand il habitait à Montréal le quartier des mauvais garçons, rue Beaudry); sur le timbre, au verso de l'illustration idyllique, deux lapins blancs se font un bisou... Cette carte était adressée à une femme au prénom rare, Noreen Bélanger, qui avait sans doute (mais combien de temps) habité l'appartement dans lequel depuis trois ans je vis, je lis, j'écris, avec ma solitude et mes chats Cookie, Arthur et le Chinois. J'appris donc qu'il y avait eu, *ici*, dans mon antre de la rue de Mentana, avant le règne de mon trio de mâles, une chatte qui s'appelait Zirca...

« Il n'y a pas de chats ordinaires », écrit judicieusement Colette, qui les aimait tant mais ne les faisait pas vacciner. Je ne dirais pas la même chose des lapins. Qu'ils se bécotent sur un timbre ne change rien à l'affaire, foin des *french kiss* pour la galerie, ils finissent en civet, en terrine, en gibelotte ou à la moutarde. On ne mitonnerait jamais de tels plats avec des chats, sauf, dit-on, dans la Chine barbare. Au chat, nous les derniers humains, on donne volontiers sa langue, *a cat is a cat is a cat,* chère Mme Gertrude, un chat n'est pas un autre et ce n'est pas parce que la nuit ils sont tous gris qu'ils se ressemblent. Tous extraordinaires, les chats. Tous uniques. Les miens, ceux de Dominique Desanti que je n'ai pas eu le plaisir de connaître, mais que je regarde sur une photo signée Sophie Bassouls prise le 11 décembre 1991, quand cette biographe de Flora Tristan et du couple Aragon-Elsa travaillait à raconter la vie de Robert Desnos, la Zirca de Noreen Bélanger dont des nouvelles inattendues m'arrivent par la poste, ceux de Foglia, les chats d'ici, les chats de France, de Colette et de Navarre...

Sophie Bassouls, qui a chassé l'écrivain pour l'agence Sygma pendant pas loin de trente ans, a réuni cinq cent cinquante clichés de littérateurs pour en faire un album, *Écrivains,* comme *Chevreuils,* publié chez Flammarion en 2001. Du lot, seuls quatre plumitifs se sont laissé photographier avec leurs félins. La Desanti, enfouie dans un divan sur le dossier duquel (ou du haut duquel) ses trois chats contemplent on ne sait quoi; Clara Goldsmith le 5 décembre 1978 (André Malraux fut son mari à vingt ans et lui fit une fille avant de partir, Florence), tassée sur un canapé au pied duquel un petit chat noir qui ressemble à mon Cookie semble se demander s'il fera le saut pour une éventuelle caresse à recevoir; Navarre en moustachu le 10 décembre 1982 qui — avant de fuir Paris la mijaurée pour le village gay de Montréal — fait du charme à un chat médaillé; et Pierre Seghers en ciré qui, le 9 mai 1983 dans un jardin public, et tout éditeur qu'il soit, s'agenouille devant un tigré qui lui tourne le cul et s'en va la queue haute...

Bernard Frank est là, le cher Bernard Frank, l'air grognon, un cabas en main, une journée devant lui, absolument perdu dans l'aréopage des cinq cent cinquante empaillés de Sophie Bassouls. Il est là sans chat, car l'auteur de *Les rats* (ce roman de l'existentialisme mondain qui enragea tant Sartre en 1953) aimait les chats, certes (d'après Frédéric Vitoux qui en a fait le titre de son tombeau : « Bernard Frank est un chat »), mais il ne fréquentait la plupart du temps que les chats des autres, les chats des maisons dans lesquelles il posait ses trois valises (dont l'une débordant de livres, des Stendhal, le Saint-Simon, les Rousseau, le Proust, des atlas, des encyclopédies...), ce qu'il fit sa vie durant, au manoir de Sagan en Normandie, qu'elle gagna au casino, à la villa de son Anglaise plus vieille que lui, Barbara Skelton, dans le Var, cette Barbara dont il était somme toute le consentant gigolo littéraire. Il y trouvait ses pensions gratuites dans lesquelles il s'incrustait, y faisant son territoire, un chat-parasite montrant patte blanche aux indigènes, s'attardant au-delà des saisons selon sa logique avouée et imparable : « comment faire pour voir ses amis si l'on n'habite pas chez eux? », y buvant des marcillac, des côte-rôtie, des chassagne-montrachet, des brane-cantenac, entre des parties de gin-rami et de longues séances non pas tant de lecture que de relecture, car lire, pour lui, c'était relire. « Je ne sais jamais si je vais à nouveau aimer Chateaubriand », confiait-il à Pierre Assouline dans un entretien au magazine *Lire* en 1996.

Eh bien, il est mort à table et de surcroît après le dessert, le cher homme, le plus libre et le plus remarquable chroniqueur littéraire français de la seconde moitié du XXe siècle; c'était il y a cinq ans, le vendredi 3 novembre 2006, au restaurant. Il y eut alors un embarras de clients quittant nerveusement les lieux sans qu'on leur demande de payer, le patron ayant de la classe. C'était comme si, candidat à la sépulture (au fond, sa seule académie envisageable c'était celle des mortels) et parvenu à son tour d'élection, il avait prévu le coup du cœur qui flanche. À la bonne heure. Le veuf non pas marital mais amical de Sagan, qui était morte sans manger et ruinée deux ans plus tôt, avait tenu à dîner ce soir-là avec son cardiologue, qui était un ami, Igor, et qui saurait sûrement lui retirer sa serviette avec délicatesse, lui tenir la main, et faire en quelque sorte le constat à l'amiable... Ce restaurant corse de la rue du Faubourg-Saint-Honoré s'endeuillait d'un habitué inhabituel, d'une fourchette redoutable. Bernard Frank mourant un verre de vin à la main, un blanc de blancs Launois Père et Fils sans doute, il s'éteignait comme si, puisque ça lui arrivait régulièrement après la dariole, le fondant chocolat-café ou la glace au miel et à la gentiane, il allait somnoler un brin... La Grande Faucheuse avait eu du tact. Et Igor du flegme. Classe, tact et flegme, Bernard Frank mourut élégamment. La belle mort que voilà.

Grâce à la journaliste Martine de Rabaudy, qui était une amie de Frank, nous savons quels ont été ses derniers mots et ils sont terriblement banals, pas du genre à figurer dans le florilège des dernières paroles célèbres comme le *« Ich sterbe »* de Tchekhov, mais ils nous apparaissent aujourd'hui en 2012 avec un comique alors involontaire, ils ont un punch qui était alors imprévisible, leur effet n'est que rétrospectif. Ils avaient demandé l'addition, lui et son cardiologue, et la conversation roulait sur les hypothétiques candidats à l'élection présidentielle française qui aurait lieu dans quelques mois, en 2007. Bernard Frank, qui n'a jamais voté de sa vie, lâcha : « Il n'est pas mal ce Strauss-Kahn ! » Paf. C'est là qu'il penche du buste, qu'il pique du nez, et qu'il paie la grande addition, car il meurt. Sur Strauss-Kahn !

Nous étions donc, je vous le rappelle, le 3 novembre 2006. Dominique Strauss-Kahn, ministre des Finances démissionnaire se tenant en réserve de la République, mais traînant tout de même des casseroles (603 000 francs reçus d'une mutuelle étudiante pour un emploi fictif, une remise fiscale de 160 millions accordée au couturier Karl Lagerfeld, mais rien de sexuel cependant), était avec Laurent Fabius et Ségolène Royal candidat à la candidature socialiste en vue de la présidentielle de 2007. Le 14 novembre, la mère de DSK meurt (et on est rétrospectivement content pour elle, au vu de la suite...). Le 16, Bernard Frank allongé au cimetière de Bagneux depuis dix jours (les funérailles y furent grises et festives selon Vitoux, il y eut du vent, des fous rires, des mots, des ragots : une cinquantaine d'amis et Micheline Presle filèrent boire du champagne sur une péniche-restaurant amarrée près du pont de l'Alma), le « pas mal » DSK arrive deuxième avec 20 % des votes des membres du PS derrière « Ségo » qui en rafle 60 %. Moins d'un an plus tard, en septembre 2007, DSK deviendra directeur général du Fonds monétaire international. DSK au FMI. Est-il besoin de raconter la suite, cette suite instrumentale dont Bernard Frank hélas aura raté le piquant spectacle ? Il en aurait vu une version postmoderne des *Animaux malades de la peste* : la Grosse Pomme, le Sofitel, la sortie de douche, la femme de chambre, *la faim, l'occasion, l'herbe tendre, et, je pense, quelque diable aussi* (le) *poussant...*, bref, le sperme régalien giclant sur le corsage de la monoparentale malienne Nafissatou Diallo, le taxi vers JFK, les policiers, les menottes, les avocats, et, au *finish*, il en serait revenu à Jean de La Fontaine avec cette fois-là *La laitière et le pot au lait* : *adieu veau, vache, cochon,* Élysée...

« Il n'est pas mal, ce Strauss-Kahn ! » Il l'était, mon cher Bernard, et il aurait valu le coup, si la camarde n'était pas allée vous cueillir chez le Corse, que vous alliez enfin voter dans un isoloir pour une fois ! Né dans de beaux draps à Neuilly, gamin à Agadir, carabin à Monaco, gandin à Paris, trois mariages et un tempérament, fine fourchette, aisance dans l'embonpoint, autorité naturelle, on va dire de ce Dominique Gaston André Strauss-Kahn qu'il était *une nature stendhalienne,* c'est plus chic que de le dire *chaud lapin* et c'est plus juste aussi, ça nous replace le cas DSK dans la grande lignée française du droit de cuissage et donc de ce traditionnel « troussage de domestiques » qu'évoqua sans vergogne Jean-François Kahn dans le cours du scandale. Maintenant, et au mieux cher Bernard, si Sarkozy est éjecté, ce sera M. Hollande qui ira coucher à l'Élysée, un cocu, un type qui ambitionne d'être un président « normal »...

Si Bernard Frank est un chat, et je suis d'accord avec Frédéric Vitoux ne serait-ce que par la manière qu'il avait de faire ses griffes sur Jean d'Ormesson (« il est le Mazo de la Roche de son temps alors qu'il se rêve en Chateaubriand »), Dominique Strauss-Kahn, lui, est assurément un lapin, tout le monde l'aura compris. Un lapin chauffé, qui vient de passer à la poêle. Un lapin grillé, sauté. Mais on peut raisonnablement croire que s'il n'avait pas été battu lors de la primaire socialiste de 2006 par l'inventrice de la notion de « bravitude », cet homme *pas mal* nous aurait à coup sûr évité le pire, c'est-à-dire la victoire de Nicolas Sarkozy devant Ségo la bravache au deuxième tour de la présidentielle de 2007, le péquenaud entrant avec ses talonnettes au palais de la marquise de Pompadour, car, on l'oublie, l'Élysée jadis s'appelait l'hôtel d'Évreux et il fut restauré en 1753 par un architecte parisien du nom de Jean Cailleteau, dit « Lassurrance le Jeune » (1690-1755), pour que la maîtresse de Louis XV y pose ses fesses de favorite officielle.

C'est longtemps après la mort de la Pompadour et la Révolution faite que, devenu l'Élysée en 1793, ce palais se transforma en « un lieu de divertissements publics », comme on l'écrit dans *Le Petit Robert*, édition 2002. Les conventionnels bling-bling, pour leurs soirées bunga bunga de l'époque Thermidor, s'y pressaient. Il restera des relents de stupre et de fornication dans cette demeure officielle du président de la République à compter de 1873, lorsque le président Félix Faure, non pas l'ami de jeunesse et de toujours de Stendhal mais un homonyme ayant fait fortune dans le commerce du cuir au Havre, y fut rappelé à Dieu en pleine séance de baise ardente avec sa maîtresse, sa Pompe à lui, et cela dans le lit même du plus haut personnage de l'État. Ce lit qu'aurait pu occuper DSK en mai 2012 s'il ne s'était pas jeté inconsidérément sur celui du Sofitel avec la première venue du room-service, ce lit dont n'a pas voulu Cécilia Sarkozy, celui dans lequel Carla Bruni gratte sa guitare les soirs de scotch...

Pour revenir au cher Bernard Frank, revenons un moment à « Lassurrance le Jeune »... C'est donc qu'il y avait un Lassurrance le Vieux? Et comment! Mais on ne l'appelait pas « le Vieux », ni « l'Ancien », ni « le Premier ». C'était Lassurrance tout court. Et Bernard Frank, grand lecteur des *Mémoires* de Saint-Simon, connaissait sûrement ce Pierre Cailleteau dit « Lassurrance » (1655-1724), le père de Jean Cailleteau dont le duc cause un brin dans son ouvrage, c'est court et un peu perdu dans les 2854 pages de l'édition complète, mais, tel un chat, le chroniqueur Frank savait trouver tout ce qu'il y a de bon à se mettre sous la dent, il aimait chasser le diable dans les détails... « Il s'attachait à découvrir dans chaque œuvre ce qui passait inaperçu », écrit Martine de Rabaudy dans son portrait du chroniqueur disparu.

Du père Cailleteau, Saint-Simon venge la réputation et la mémoire. Il le juge supérieur et de loin au fameux Jules Hardouin-Mansart qui tient très ferme la faveur de Louis XIV depuis qu'il lui a construit un joli baise-pas-loin (le château de Clagny au nord-est de Versailles) pour aller, quand ça lui prenait, faire catleya (comme le dira Proust) avec la Montespan qui l'attend en déshabillé troublant... Le Roi-Soleil, reconnaissant, fera d'Hardouin-Mansart (qui passe ainsi à l'histoire) son Premier architecte et le surintendant des Bâtiments royaux. Le duc de Saint-Simon, qui sait tout, qui a un œil (« il est dans la nature de l'œil d'être cruel », disait Flaubert), écrivit, en parlant de ce Hardouin-Mansart qu'il était « ignorant dans son métier » : « Il tirait tout d'un dessinateur qu'il tenait clos et à l'écart, qui s'appelait Lassurrance, sans lequel il ne pouvait rien. » On sait cependant, et Bernard Frank ne devait pas l'ignorer mais s'en lécher les moustaches, que ce Hardouin-Mansart, entré dans les dictionnaires, avait acquis frauduleusement une terre appartenant à la famille du duc...

Bernard Frank, dans ses chroniques de dilettante de choc à *L'Express*, à l'éphémère *Matin de Paris* puis au *Monde* et au *Nouvel Observateur*, toutes écrites dans des cahiers Clairefontaine, ceux aux pages quadrillées, portées aux rédactions le lundi midi (et maintenant toutes réunies en quatre volumes, un chef-d'œuvre de l'art critique, 2071 pages à lire et à relire dans le désordre), fit de la digression lettrée un art, de la curiosité historique une science, et de la nonchalance existentialiste un sport. J'avais avec lui des affinités électives, l'amour des chats (il en avait un qu'il appelait Essuie-Plume, reprenant ce nom d'un des chats de Malraux), le plaisir de la relecture, la désinvolture, la crème sure, la gelée de mûres, l'emprise de la littérature sur la vie réelle (il affirmait que les belons chez Tolstoï étaient meilleures que chez Prunier), la soudure de l'amitié, et le vice de l'éreintement à retenir autant que possible, comme tout vice, les cahiers Clairefontaine quadrillés, la détestation amusée de Jean d'Ormesson et le quiz relevé, autrement dit les « Questions pour un champion » qui étaient (si je puis me permettre) *notre* émission de télé préférée.

Il est mort depuis cinq ans, le vieux pote de Françoise Sagan et de Florence Malraux. À cette époque-là, quand il quitta sa dernière table le 3 novembre 2006, c'est une Zirca vaccinée qui devait ronronner, *ici*, rue de Mentana, pendant que cette Noreen Bélanger vaquait... vaquait à quoi ? Je vous le demande... À vivre, sans aucun doute...

COMITÉ DE RÉDACTION

EVELYNE DE LA CHENELIÈRE est auteure et comédienne. Ses pièces de théâtre ont été montées au Québec ainsi qu'en traduction à l'étranger. Parmi elles, mentionnons *Des fraises en janvier, Henri & Margaux, Bashir Lazhar* et *Les pieds des anges. Désordre public,* un recueil de pièces, a obtenu en 2006 le Prix littéraire du Gouverneur général.

OLIVIER KEMEID est auteur de théâtre et metteur en scène. Ses pièces ont été jouées et lues au Québec, aux États-Unis, en Allemagne, en France et en Hongrie. Il est le directeur artistique de la compagnie de théâtre Trois Tristes Tigres, avec laquelle il a notamment produit *L'Énéide* (2007), d'après Virgile, à Espace Libre et en tournée au Québec.

PIERRE LEFEBVRE (rédacteur en chef) travaille comme rédacteur à la pige et conseiller dramaturgique. Il a réalisé plusieurs documentaires radiophoniques pour Radio-Canada. Sa pièce *Lortie,* mise en scène par Daniel Brière, a été présentée à l'Espace Libre à l'automne 2008.

ROBERT RICHARD enseigne la littérature à l'université et a publié des essais, dont *Le corps logique de la fiction* (l'Hexagone, 1989) et *L'émotion européenne : Dante, Sade, Aquin* (prix *Spirale* Eva-Le-Grand, Varia, 2004). Il a aussi publié un roman : *A Johnny Novel* (The Mercury Press, 1997) ; *Le roman de Johnny* (Balzac/Le Griot, 1998).

JEAN-PHILIPPE WARREN est professeur de sociologie à l'Université Concordia.

COLLABORATEURS

SAMUEL ARCHIBALD est né en 1978 à Arvida. Il quitte le Saguenay après le déluge de 1996 et s'installe à Montréal juste à temps pour le verglas massif de 1998. Il passe l'essentiel des dix années suivantes à étudier et vit en Europe de 2007 à 2009. Depuis son retour au Québec, il est professeur au Département d'études littéraires de l'Université du Québec à Montréal, où il enseigne le roman policier et de science-fiction, le cinéma d'horreur, les jeux vidéo et la culture populaire contemporaine. Il signe avec *Arvida* (Le Quartanier, 2011) sa première œuvre de fiction.

MATHIEU ARSENAULT est auteur, critique et essayiste. Il a fondé l'Académie de la vie littéraire au tournant du XXIe siècle et tient aussi une boutique en ligne de produits dérivés littéraires, *doctorak.co.*

RAYMOND BOCK, né à Montréal en 1981, termine une maîtrise en études littéraires à l'Université du Québec à Montréal. Il a collaboré à diverses revues québécoises telles que *MŒBIUS, Biscuit Chinois, Spirale* et *Voix et Images,* en plus de cofonder le site Voix d'ici (*voixdici.ca*) consacré à la diffusion de la poésie québécoise sous sa forme orale. Il a publié un recueil d'histoires, *Atavismes*, au Quartanier en 2011.

DANIEL CANTY est auteur et réalisateur. Il crée des livres, des films et des environnements et interfaces narratifs. Il vient de publier un roman, *Wigrum* (La Peuplade, 2011), et signait, début 2012, le libretto d'Operator, un automate électroluminescent conçu par Mikko Hynninen et présenté à Lux Helsinki. Son dernier film, *Longuay*, croise le regard d'une abbaye vétuste avec celui d'une tablette numérique. *danielcanty.com*

ROBERT LÉVESQUE est critique. Il a, entre autres, publié *Déraillements* (2011), *L'allié de personne* (2003) et *La liberté de blâmer* (1997) aux Éditions du Boréal. Il dirige chez ce même éditeur la collection « Liberté grande ».

WILLIAM S. MESSIER est né en 1984, à Cowansville. Il a publié en 2009 *Townships*, un recueil de nouvelles et, en 2010, un roman intitulé *Épique* aux éditions Marchand de feuilles. Doctorant en études littéraires à l'Université du Québec à Montréal, il s'intéresse au vernaculaire et à l'oralité dans la littérature américaine.

Revue littéraire de création et de critique
Fondée en 1959 par Jean-Guy Pilon.

COUVERTURE Catherine D'Amours
CONCEPTION DE LA MAQUETTE Élise Cropsal
MISE EN PAGES TypoLab
IMPRESSION AGMV Marquis inc.

Toute correspondance concernant la rédaction doit être adressée à :
***Liberté*, 4067, boul. Saint-Laurent, suite 304, Montréal (Qc) H2W 1Y7**
TÉLÉPHONE 514 598-8457 / info@revueliberte.ca / www.revueliberte.ca

NUMÉROS THÉMATIQUES RÉCENTS

Pour se procurer d'anciens numéros, s'adresser à la rédaction. Le catalogue *Liberté 1959–1999* est disponible sur demande.

PROCHAIN NUMÉRO

FORMULAIRE D'ABONNEMENT

UN AN – QUATRE NUMÉROS

Tarifs au Canada (taxes incluses)

☐ Étudiant* / 30 $

☐ Individu / 40 $

☐ Institution / 55 $

☐ Abt de soutien / 70 $ et +

* Joindre une photocopie de la carte étudiante.

Tarif à l'étranger

☐ Individu et institution / 65 $

Nom et prénom ....

Adresse ....

Ville .... Province ....

Code postal .... Pays ....

Téléphone ....

Courriel ....

☐ Chèque ou mandat-poste à l'ordre de SODEP (Liberté) en devise canadienne uniquement

☐ Visa ☐ Mastercard

N° de carte .... Expiration ....

Signature ....

Retourner ce bulletin à l'adresse suivante :

SODEP (Liberté)
C. P. 160 succursale Place d'Armes
Montréal (Québec) H2Y 3E9
TÉLÉPHONE : 514 397-8670
TÉLÉCOPIEUR : 514 397-6887
abonnement@sodep.qc.ca / www.sodep.qc.ca